#수학개념학습
#학습만화
#재미있는수학
#만화로개념잡는

개념클릭

Chunjae
Makes
Chunjae

▼

개념클릭

편집총괄	지유경
편집개발	정소현, 조선영, 최윤석
디자인총괄	김희정
표지디자인	윤순미, 장미
내지디자인	박희춘
제작	황성진, 조규영

발행일	2019년 5월 15일 개정초판 2024년 4월 15일 6쇄
발행인	(주)천재교육
주소	서울시 금천구 가산로9길 54
신고번호	제2001-000018호
고객센터	1577-0902

공부가 즐거워지는

개념
클릭

★ 해법수학 ★

6-2

구성과 특징

수학 공부를 쉽고, 재미있게 할 수 있는 교재는 없을까?

개념을 자세히 설명해 놓으면 잘 읽지 않고, 그렇다고 설명을 안 할 수도 없고……

만화로 교과서 개념을 설명한 책은 많지만, 수박 겉핥기 식으로 넘어가기만 하니……

개념클릭 해법수학이 탄생하게 된 배경입니다.

개념클릭 해법수학 4단계 시스템!

1 단계 만화로 재미있게 개념 익히기

2 단계 개념 집중 연습으로 개념 꽉 잡기

3 단계 익힘책 문제로 실력 다지기

4 단계 단원 평가로 실력 체크

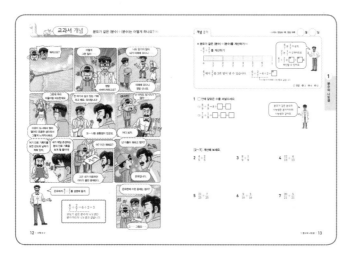

1 단계 교과서 개념

만화를 보면 개념이 저절로~
간단한 **확인 문제**로 개념을 정리하세요.

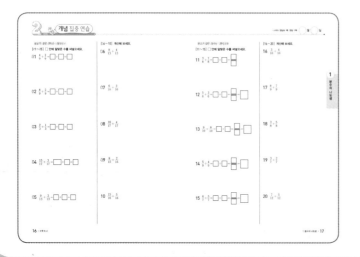

2 단계 개념 집중 연습

교과서 개념 문제를 반복하여 풀어 보면서
개념을 꽉 잡아요.

○ Structure

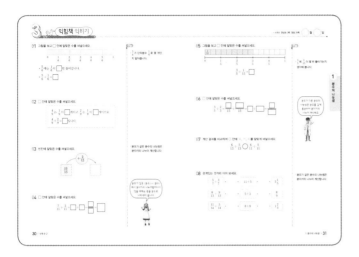

단계 익힘책 익히기

익힘책 문제를 풀어 보면서 **실력**을 키워요.

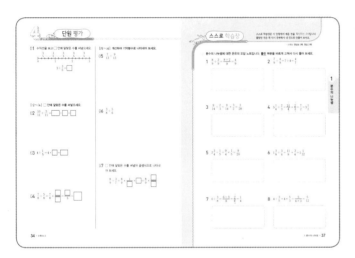

단계 단원 평가

한 단원을 마무리하며 스스로 **실력 체크**를 해요.

스스로 학습장

한 단원을 학습한 후 내가 무엇을 알고 무엇을 모르는지 확인하는 코너입니다.

개념클릭만의 모바일 학습

표지 QR

➔ 표지에 있는 **QR코드**를 찍으면 개념 동영상·만화를 학습할 수 있습니다.

도비라 QR

➔ 단원 시작에 있는 **QR코드**를 찍으면 각 단원의 개념 동영상 강의를 볼 수 있습니다.

차례 Contents

이 책의 **등장인물**

슈바이처

모든 생명이 우선이라는 신념을
가진 의사.
환자를 진료할 때는 깐깐하고 빈틈이
없으나 일상 생활에서는 털털하고
겁이 많다.

수잔

아프리카에서 슈바이처와 함께
일하던 간호사.
쾌활하지만 화가 나면 슈바이처도
벌벌 떠는 다혈질인 성격이다.

기태

온유가 사는 섬에 일하러
오게 된 의사.
밝은 성격의 소유자이며
환자를 가족처럼 돌보는
열정이 가득한 사람이다.

온유

수학을 힘들어하는
6학년 어린이.
기태 선생님의 간식을 몰래
뺏어 먹는 재미로 진료실을
자주 들락거린다.

프롤로그

아프리카의 어느 마을

이제 다 됐다.

감사합니다.

며칠 더 치료 받으면 나을 거야.

이제 친구들과 밖에서 놀 수 있겠어.

야호! 신난다!

수학 문제는 열심히 풀고 있겠지?

그럼요.

선생님이 주신 문제는 모두 풀었어요.

기특하구나.

여기요!

내가 가져가서 확인하고 다음에 올 때 틀린 문제는 함께 풀자.

네!

매번 여기까지 와주셔서 고맙습니다.

다리는 많이 좋아졌으니 걱정하지 않아도 된단다.

다음에 또 보자.

서둘러서 갑시다.

이러다가 어두워 지겠어.

어떡해요. 밤이 되면 맹수들이 나타날 지도 몰라요.

걱정 마요! 지름길을 알고 있어요.

지난번에 엉뚱한 길로 가서 고생한 거 잊으셨어요?

그럼 혼자 걸어 가든지.

뭐라고요? 혼자 가라고요?

이번엔 날 믿어봐요.

이 길이 맞긴 맞는 거예요?

헉 헉

분명 이 길이 맞는데…….

망했어~.

크르르릉

?!

크아앙

악! 사자다!

꺄아악

이 길이 아닌가 봐!

이게 다 박사님 때문이에요!

저기로 피합시다.

흑흑ㅠ 사자밥이 되다니……

헉 헉

크르릉

꺼이 꺼이

어, 사자가 더 이상 쫓아오지 않아요.

나의 강인함에 겁을 먹었군!

크하하

크르릉

그런 농담이 나와요? 엇, 땅이 이상해요!

헉

뜨악! 몸이 빠져들고 있어!

꺄아아

1

분수의 나눗셈

QR 코드를 찍으면 1단원 개념 동영상 강의를 볼 수 있어요.

이번에 배울 내용

- 분모가 같은 (분수)÷(분수)
- 분모가 다른 (분수)÷(분수)
- (자연수)÷(분수)
- 분수의 나눗셈을 분수의 곱셈으로 나타내기
- 여러 가지 (분수)÷(분수)

작은 섬마을

이 섬에 온 지도 2년이 다 되어 가네.

선생님, 여기 더 계실 거죠?

물론이지. 난 이 섬이 좋아!

오물 오믈

다행이다!

그런데, 그 거 내 간식 아니야?

이 녀석, 자꾸 내 간식 먹을래?

헤 헤

거기 서!

다다다다

어이쿠

턱

잡았다. 이 녀석!

꽈 당

뜨헉

조심해야지.

너무 아파요.

내가 내 준 숙제는 했니?

아직이요.

분수의 나눗셈을 아직도 못하면 어떡해~.

$\frac{2}{3} \div 5$를 계산하는 거 기억나니?

$$\frac{2}{3} \div 5 = \frac{2}{3} \times \frac{1}{5} = \frac{2}{15}$$

$\div 5$를 $\times \frac{1}{5}$로 바꾸어 계산합니다.

딱

이제 알겠어?

선생님, 저기 좀 보세요.

?!

아저씨, 정신 차리세요!

심폐소생술을 해야겠어요.

훅 훅

훅 훅

이 녀석, 뭐하는 짓이야? 감히 내게 입을 맞추다니.

파 바 박

와~ 깨어났다!

화악

끄응

어…… 여긴 어디지?

1 □ 안에 알맞은 수를 써넣으세요.

$$4\frac{1}{3}+1\frac{5}{8}=4\frac{\square}{24}+1\frac{\square}{24}$$

$$=(4+1)+\left(\frac{\square}{24}+\frac{\square}{24}\right)$$

$$=5+\frac{\square}{24}=\square\frac{\square}{24}$$

2 두 막대의 길이의 차는 몇 cm인지 기약분수로 나타내어 보세요.

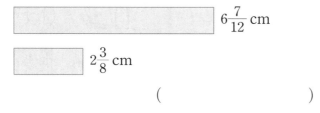

$6\frac{7}{12}$ cm

$2\frac{3}{8}$ cm

(   )

3 □ 안에 알맞은 수를 써넣으세요.

$$1\frac{2}{3}\times2\frac{4}{5}=\frac{\square}{3}\times\frac{\square}{5}=\frac{\square}{3}=\square\frac{\square}{\square}$$

4 계산하여 기약분수로 나타내어 보세요.

$$2\frac{2}{9}\div5$$

개념 체크 ① ◀ 5학년 1학기 5단원

분모가 다른 대분수의 덧셈

• 통분한 후 자연수는 자연수끼리, 분수는 분수끼리 계산합니다.

예 $1\frac{3}{5}+1\frac{1}{2}=1\frac{6}{10}+1\frac{5}{10}=3\frac{1}{10}$

• 대분수를 가분수로 나타내어 계산합니다.

예 $1\frac{3}{5}+1\frac{1}{2}=\frac{8}{5}+\frac{3}{2}=\frac{16}{10}+\frac{15}{10}$
$$=\frac{31}{10}=3\frac{1}{10}$$

개념 체크 ② ◀ 5학년 1학기 5단원

분모가 다른 대분수의 뺄셈

• 통분한 후 자연수는 자연수끼리, 분수는 분수끼리 계산합니다.

예 $2\frac{2}{5}-1\frac{1}{4}=2\frac{8}{20}-1\frac{5}{20}=1\frac{3}{20}$

• 대분수를 가분수로 나타내어 계산합니다.

예 $2\frac{2}{5}-1\frac{1}{4}=\frac{12}{5}-\frac{5}{4}=\frac{48}{20}-\frac{25}{20}$
$$=\frac{23}{20}=1\frac{3}{20}$$

개념 체크 ③ ◀ 5학년 2학기 2단원

(대분수)×(대분수)

대분수를 가분수로 나타내어 계산합니다.

개념 체크 ④ ◀ 6학년 1학기 1단원

(대분수)÷(자연수)

대분수는 가분수로 바꾸고 분자가 자연수의 배수이면 분자를 자연수로 나누어 구합니다.

5 리본 5 m를 9명이 똑같이 나누어 가졌습니다. 한 명이 가진 리본은 몇 m일까요?

(   )

6 잘못 계산한 곳을 찾아 바르게 계산해 보세요.

$$3\frac{6}{7} \div 2 = 3\frac{6 \div 2}{7} = 3\frac{3}{7}$$

7 학교 도서관에 있는 전체 책의 $\frac{2}{3}$는 아동 도서이고, 그중 $\frac{1}{5}$ 은 동화책입니다. 동화책은 학교 도서관에 있는 책 전체의 몇 분의 몇일까요?

식

답

개념 체크 **5** ◀ 6학년 1학기 1단원

(자연수)÷(자연수)

(자연수)÷(자연수)의 몫은 나누어지는 수 를 분자, 나누는 수를 분모로 하는 분수로 나타낼 수 있습니다.

개념 체크 **6** ◀ 6학년 1학기 1단원

(대분수)÷(자연수)

대분수는 가분수로 바꾸고 나눗셈을 곱셈 으로 나타내어 계산합니다.

개념 체크 **7** ◀ 5학년 2학기 2단원

(진분수)×(진분수)

• 분모는 분모끼리, 분자는 분자끼리 곱 합니다.

예 $\frac{1}{5} \times \frac{3}{7} = \frac{1 \times 3}{5 \times 7} = \frac{3}{35}$

1

분수의 나눗셈

뭐라고요?

어떻게 그런 일이…….

혁

정말 슈바이처라고요?

나도 믿기지 않아. 내가 미래에 오다니…….

미래에 오다니 정말 신나요.

그런데 우리 마을이랑 비슷한데요.

이곳이 도시에서 멀리 떨어진 조용한 섬이라서 그렇게 느껴지나봐요.

전 여기서 살고 있는 기태 라고 해요. 의사랍니다!

오~ 나랑 공통점이 있군요.

난 아직도 믿기지가 않아…….

아야!

어디 보자.

뒤적 뒤적

여기 진료 기록지를 보면 연도와 날짜가 적혀 있지.

내가 제일 존경하는 분의 진료 기록을 보게 될 줄이야!

척

어? 이건 뭐예요?

그건 내가 치료하던 아이가 풀던 문제란다.

넌 이름이 뭐라고 했지?

스윽

온유입니다.

온유에게 $\dfrac{6}{7} \div \dfrac{2}{7}$ 를 설명해 줄게.

$$\frac{6}{7} \div \frac{2}{7} = 6 \div 2 = 3$$

분모가 같은 분수의 나눗셈은 분자끼리의 나눗셈과 같습니다.

온유한테 이런 문제는 쉽지?

하 하

그…… 그럼요…….

• 스피드 정답표 1쪽, 정답 16쪽 ◯ 월 ◯ 일

◎ 분모가 같은 (분수) ÷ (분수)를 계산하기 (1)

• $\frac{6}{7} \div \frac{2}{7}$ 를 계산하기

0   1

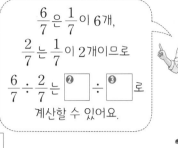

$\frac{6}{7}$ 은 $\frac{1}{7}$ 이 6개,

$\frac{2}{7}$ 는 $\frac{1}{7}$ 이 2개이므로

$\frac{6}{7} \div \frac{2}{7}$ 는 ❷□ ÷ ❸□ 로

계산할 수 있어요.

$\frac{6}{7}$ 에서 $\frac{2}{7}$ 를 3번 덜어 낼 수 있습니다. ⇨ $\frac{6}{7} \div \frac{2}{7} = 6 \div 2 = $ ❶□

└▶ 분자끼리의 나눗셈과 같습니다.

◐ 정답   ❶ 3   ❷ 6   ❸ 2

1

분수의 나눗셈

---

1 □ 안에 알맞은 수를 써넣으세요.

(1) $\frac{8}{9} \div \frac{4}{9} = 8 \div \boxed{} = \boxed{}$

(2) $\frac{7}{8} \div \frac{1}{8} = \boxed{} \div \boxed{} = \boxed{}$

분모가 같은 분수의
나눗셈은 분자끼리의
나눗셈과 같아요.

[2~7] 계산해 보세요.

2 $\frac{4}{5} \div \frac{2}{5}$

3 $\frac{8}{9} \div \frac{1}{9}$

4 $\frac{12}{13} \div \frac{4}{13}$

5 $\frac{21}{25} \div \frac{7}{25}$

6 $\frac{9}{10} \div \frac{3}{10}$

7 $\frac{20}{21} \div \frac{5}{21}$

교과서 개념

분모가 같은 (분수)÷(분수)는 어떻게 하나요? (2)

역시 미래 어린이들은 똑똑한가 봐요.

그렇겠지.

그런 문제는 식은죽 먹기죠.

저러다 망신당하지.

그럼 이 문제도 풀 수 있겠구나?

$\dfrac{7}{9} \div \dfrac{2}{9}$

음…… 분모가 같은 분수의 나눗셈 이니까……

으이구~.

사실 이 녀석은 수학을 잘 못해서 제가 가르치고 있는 중이랍니다.

아, 그렇군요.

모두 다 그런 건 아니고요. 이 녀석이 특별한 거죠.

그럼 다행이군.

제가 수학 빼고 잘 하는 게 얼마나 많은데요!

여기 있는 동안 내가 수학을 좀 가르쳐 주지.

분모가 같은 (분수)÷(분수)는 분자끼리 나누면 돼!

$$\frac{7}{9} \div \frac{2}{9} = 7 \div 2 = \frac{7}{2} = 3\frac{1}{2}$$

분자끼리 나누어떨어지지 않을 때에는 몫을 분수로 나타냅니다.

이제 알겠지?

네~

수학은 나랑 안 맞아!

그럼 진료소로 갈까요?

오~ 기대되는군.

◎ 분모가 같은 (분수)÷(분수)를 계산하기 (2)

• $\dfrac{7}{9} \div \dfrac{2}{9}$ 를 계산하기

$7 \div 2$

$\dfrac{7}{9} \div \dfrac{2}{9}$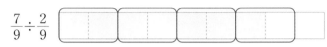

$$\dfrac{7}{9} \div \dfrac{2}{9} = 7 \div 2 = \dfrac{7}{2} = \boxed{}^{❶}$$

분모가 같은
(분수)÷(분수)의
계산은 분자끼리 계산해요.
분자끼리 나누어떨어지지
않을 때에는
몫을 분수로 나타내요.

◐ 정답 ❶ $3\dfrac{1}{2}$

1

분수의 나눗셈

[1~4] □ 안에 알맞은 수를 써넣으세요.

1 $\dfrac{7}{8} \div \dfrac{3}{8} = \boxed{} \div \boxed{} = \dfrac{\boxed{}}{\boxed{}} = \boxed{}$

2 $\dfrac{8}{9} \div \dfrac{5}{9} = \boxed{} \div \boxed{} = \dfrac{\boxed{}}{\boxed{}} = \boxed{}$

3 $\dfrac{10}{13} \div \dfrac{3}{13} = \boxed{} \div \boxed{} = \dfrac{\boxed{}}{\boxed{}} = \boxed{}$

4 $\dfrac{7}{13} \div \dfrac{4}{13} = \boxed{} \div \boxed{} = \dfrac{\boxed{}}{\boxed{}} = \boxed{}$

[5~8] 보기 와 같이 계산해 보세요.

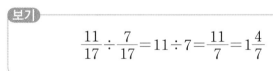

보기
$$\dfrac{11}{17} \div \dfrac{7}{17} = 11 \div 7 = \dfrac{11}{7} = 1\dfrac{4}{7}$$

5 $\dfrac{5}{12} \div \dfrac{7}{12}$

6 $\dfrac{9}{14} \div \dfrac{2}{14}$

7 $\dfrac{13}{15} \div \dfrac{4}{15}$

8 $\dfrac{7}{17} \div \dfrac{16}{17}$

분모가 같은 (분수)÷(분수)(1)

[01~05] □ 안에 알맞은 수를 써넣으세요.

01 $\dfrac{4}{9} \div \dfrac{2}{9} = \boxed{} \div \boxed{} = \boxed{}$

02 $\dfrac{8}{9} \div \dfrac{2}{9} = \boxed{} \div \boxed{} = \boxed{}$

03 $\dfrac{2}{3} \div \dfrac{1}{3} = \boxed{} \div \boxed{} = \boxed{}$

04 $\dfrac{15}{17} \div \dfrac{3}{17} = \boxed{} \div \boxed{} = \boxed{}$

05 $\dfrac{9}{13} \div \dfrac{3}{13} = \boxed{} \div \boxed{} = \boxed{}$

[06~10] 계산해 보세요.

06 $\dfrac{8}{13} \div \dfrac{4}{13}$

07 $\dfrac{6}{10} \div \dfrac{3}{10}$

08 $\dfrac{16}{17} \div \dfrac{4}{17}$

09 $\dfrac{8}{15} \div \dfrac{2}{15}$

10 $\dfrac{15}{16} \div \dfrac{5}{16}$

분모가 같은 (분수)÷(분수)(2)

[11~15] □ 안에 알맞은 수를 써넣으세요.

11 $\dfrac{3}{8} \div \dfrac{7}{8} = \boxed{} \div \boxed{} = \dfrac{\boxed{}}{\boxed{}}$

12 $\dfrac{5}{6} \div \dfrac{3}{6} = \boxed{} \div \boxed{} = \dfrac{\boxed{}}{\boxed{}} = \boxed{}$

13 $\dfrac{9}{10} \div \dfrac{8}{10} = \boxed{} \div \boxed{} = \dfrac{\boxed{}}{\boxed{}} = \boxed{}$

14 $\dfrac{5}{9} \div \dfrac{4}{9} = \boxed{} \div \boxed{} = \dfrac{\boxed{}}{\boxed{}} = \boxed{}$

15 $\dfrac{6}{7} \div \dfrac{5}{7} = \boxed{} \div \boxed{} = \dfrac{\boxed{}}{\boxed{}} = \boxed{}$

[16~20] 계산해 보세요.

16 $\dfrac{3}{10} \div \dfrac{4}{10}$

17 $\dfrac{8}{9} \div \dfrac{7}{9}$

18 $\dfrac{3}{8} \div \dfrac{5}{8}$

19 $\dfrac{3}{7} \div \dfrac{2}{7}$

20 $\dfrac{7}{12} \div \dfrac{5}{12}$

1

분수의 나눗셈

교과서 개념 분모가 다른 (분수)÷(분수)는 어떻게 하나요?

온유야, 수학도 알고 보면 재미있단다.

설마요.

그런데 아프리카에 동물들이 정말 많아요?

물론이지.

사자를 실제로 본 적 있어요?

응, 여기 오기 전까지 함께 있었지……

뜨끔

내가 사자로부터 용맹하게 수잔을 지켜줬지.

하하

겁먹어서 동굴 안으로 숨은 게 누구시더라?

무슨 소리야, 겁을 먹다니, 누가!

기억 안 나세요? 그래서 이곳까지 온 거잖아요.

꺄아악

스르르

나 같았으면 사자쯤 쉽게 물리쳤을 텐데……

얍 얍 얍

쳇

너 $\frac{3}{5} \div \frac{5}{6}$ 는 계산할 수 있어?

갑자기 수학 문제를……

척

이번엔 분모가 다르네……

잘 들어. 너에겐 용맹함보다 학습이 먼저야!

분모가 다른 분수의 나눗셈은 통분하여 분자끼리 나누어 구할 수 있어.

$$\frac{3}{5} \div \frac{5}{6} = \frac{18}{30} \div \frac{25}{30} = 18 \div 25 = \frac{18}{25}$$

분모 5와 6의 공배수로 통분합니다.

어흥

뜨악~ 사자다!

꺄악

박사님에겐 용맹함이 먼저일 거 같아요.

◎ 분모가 다른 (분수)÷(분수)를 계산하기

• $\dfrac{3}{5} \div \dfrac{5}{6}$ 를 계산하기

분모가 다른 분수의 나눗셈은 통분하여 분자끼리 나누어
구합니다.

$$\dfrac{3}{5} \div \dfrac{5}{6} = \dfrac{3 \times \boxed{❶}}{5 \times 6} \div \dfrac{5 \times \boxed{❷}}{6 \times 5} = \dfrac{18}{30} \div \dfrac{25}{30} = 18 \div 25 = \dfrac{18}{25}$$

계산 결과는 약분하여
기약분수로 나타내고
가분수일 경우 대분수로
고쳐요.

⟳ 정답 ❶ 6 ❷ 5

1

분수의 나눗셈

1 □ 안에 알맞은 수를 써넣으세요.

$$\dfrac{1}{8} \div \dfrac{2}{3} = \dfrac{3}{24} \div \dfrac{\boxed{}}{24} = 3 \div \boxed{} = \boxed{}$$

두 분모의 최소공배수로
통분하면 더 간단하게
계산할 수 있어요.

[2~7] 계산하여 기약분수로 나타내어 보세요.

2 $\dfrac{2}{3} \div \dfrac{3}{5}$

3 $\dfrac{2}{5} \div \dfrac{3}{8}$

4 $\dfrac{2}{3} \div \dfrac{4}{7}$

5 $\dfrac{6}{7} \div \dfrac{5}{8}$

6 $\dfrac{8}{11} \div \dfrac{4}{9}$

7 $\dfrac{4}{21} \div \dfrac{3}{4}$

교과서 개념

(자연수)÷(분수)는 어떻게 하나요?

$6 \div \dfrac{3}{4}$ 과 같은 (자연수)÷(분수)를 어떻게 하는지 알려줄게.

$$6 \div \frac{3}{4} = (6 \div 3) \times 4 = 8$$

자연수를 분수의 분자로
나누고 분모를 곱합니다.

◎ (자연수)÷(분수)를 계산하기 – $6 \div \dfrac{3}{4}$ 의 계산

• 조개 6 kg을 캐는 데 $\dfrac{3}{4}$ 시간이 걸렸을 때 1시간 동안 캘 수 있는 조개의 무게 구하기

① $\dfrac{1}{4}$ 시간 동안 캘 수 있는 조개의 무게 구하기

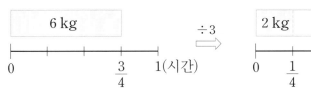   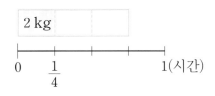

$6 \div 3 = \boxed{❶}$ (kg)

② 1시간 동안 캘 수 있는 조개의 무게 구하기

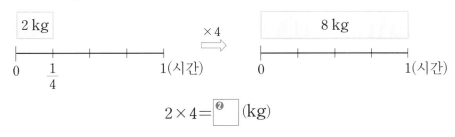

$2 \times 4 = \boxed{❷}$ (kg)

$$6 \div \dfrac{3}{4} = (6 \div 3) \times 4 = 8$$

$\dfrac{1}{4}$ 시간 동안 캘 수 있는 조개의 무게를 먼저 알아 봐요. 1시간은 $\dfrac{1}{4}$ 시간의 4배이므로 $\dfrac{1}{4}$ 시간 동안 캘 수 있는 조개의 무게에 4배를 해요.

1 분수의 나눗셈

◐ 정답 ❶ 2 ❷ 8

[1~4] □ 안에 알맞은 수를 써넣으세요.

1 $8 \div \dfrac{4}{5} = (8 \div \boxed{}) \times \boxed{} = \boxed{}$

2 $9 \div \dfrac{3}{5} = (9 \div \boxed{}) \times \boxed{} = \boxed{}$

3 $8 \div \dfrac{2}{3} = (8 \div \boxed{}) \times \boxed{} = \boxed{}$

4 $10 \div \dfrac{2}{5} = (10 \div \boxed{}) \times \boxed{} = \boxed{}$

[5~6] 보기 와 같이 계산해 보세요.

보기
$$12 \div \dfrac{3}{5} = (12 \div 3) \times 5 = 20$$

5 $10 \div \dfrac{5}{9}$

6 $9 \div \dfrac{3}{7}$

분모가 다른 (분수)÷(분수)

[01~04] □ 안에 알맞은 수를 써넣으세요.

01 $\dfrac{5}{6} \div \dfrac{3}{7} = \dfrac{\square}{42} \div \dfrac{\square}{42}$

$= \square \div \square = \dfrac{\square}{\square} = \square$

02 $\dfrac{3}{5} \div \dfrac{7}{15} = \dfrac{\square}{15} \div \dfrac{\square}{15}$

$= \square \div \square = \dfrac{\square}{\square} = \square$

03 $\dfrac{7}{9} \div \dfrac{5}{6} = \dfrac{\square}{18} \div \dfrac{\square}{18}$

$= \square \div \square = \dfrac{\square}{\square}$

04 $\dfrac{2}{3} \div \dfrac{3}{5} = \dfrac{\square}{15} \div \dfrac{\square}{15}$

$= \square \div \square = \dfrac{\square}{\square} = \square$

[05~09] 보기 와 같은 방법으로 계산하여 기약분수로 나타내어 보세요.

> **보기**
>
> $\dfrac{3}{4} \div \dfrac{5}{6} = \dfrac{9}{12} \div \dfrac{10}{12} = 9 \div 10 = \dfrac{9}{10}$

05 $\dfrac{3}{10} \div \dfrac{4}{7}$

06 $\dfrac{9}{10} \div \dfrac{3}{8}$

07 $\dfrac{11}{16} \div \dfrac{5}{12}$

08 $\dfrac{7}{10} \div \dfrac{3}{5}$

09 $\dfrac{5}{14} \div \dfrac{2}{21}$

(자연수)÷(분수)

[10~14] □ 안에 알맞은 수를 써넣으세요.

10 $4 \div \dfrac{2}{5} = (4 \div \boxed{}) \times \boxed{} = \boxed{}$

11 $12 \div \dfrac{4}{7} = (12 \div \boxed{}) \times \boxed{} = \boxed{}$

12 $12 \div \dfrac{3}{5} = (12 \div \boxed{}) \times \boxed{} = \boxed{}$

13 $9 \div \dfrac{3}{7} = (9 \div \boxed{}) \times \boxed{} = \boxed{}$

14 $14 \div \dfrac{7}{8} = (14 \div \boxed{}) \times \boxed{} = \boxed{}$

[15~18] 빈칸에 알맞은 수를 써넣으세요.

15

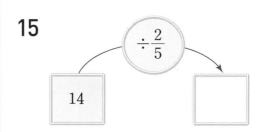

16

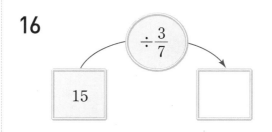

17

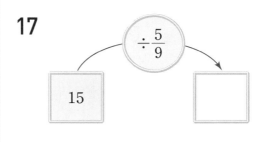

18

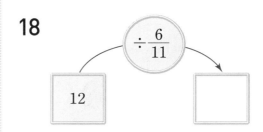

1

분수의 나눗셈

여기가 제가 일하는 곳이에요.

생각보다 크지 않네요.

하하, 그런가요?

자물쇠 번호를 까먹었어…….

으이그~

하지만 응급 처치와 기본적인 치료는 할 수 있어요.

무척 궁금하군요. 빨리 들어갑시다.

끼잉 끼잉

아, 맞다! $\frac{4}{5} \div \frac{2}{3}$ 를 계산한 결과의 분모와 분자를 더한 수가 비밀번호였지?

나눗셈을 곱셈으로 나타내고 분모와 분자를 바꾸어 계산해요.

$\div \frac{2}{3} \Rightarrow \times \frac{3}{2}$

$$\frac{4}{5} \div \frac{2}{3} = \overset{2}{\cancel{4}}{5} \times \frac{3}{\underset{1}{\cancel{2}}} = \frac{6}{5} = 1\frac{1}{5}$$

나눗셈을 곱셈으로 나타내고 나누는 분수의 분모와 분자를 바꾸어 곱합니다.

진료소에 중요한 물건이 많아서 자물쇠로 잠가 둔 거군요.

끼잉 끼잉

그게 아니고, 저 녀석이 제 간식을 먹어서 못 들어오게 하려고요.

휘잉

찌릿

◎ (분수)÷(분수)를 (분수)×(분수)로 나타내기 － $\frac{4}{5} \div \frac{2}{3}$ 의 계산

• 빈 통에 물 $\frac{4}{5}$ L를 담았더니 통의 $\frac{2}{3}$ 가 채워졌을 때 한 통을 가득 채울 때 물의 양 구하기

① 통의 $\frac{1}{3}$ 을 채울 수 있는 물의 양 구하기

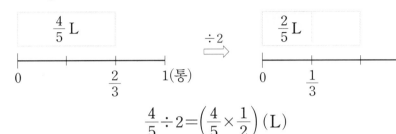

$$\frac{4}{5} \div 2 = \left(\frac{4}{5} \times \frac{1}{2} \right) (L)$$

② 한 통을 가득 채울 수 있는 물의 양 구하기

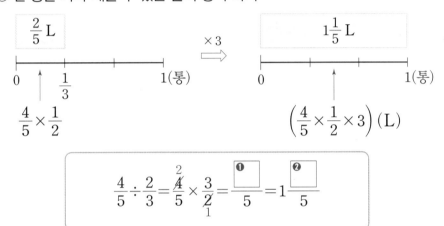

$$\frac{4}{5} \times \frac{1}{2} \times 3 \,(L)$$

$$\frac{4}{5} \div \frac{2}{3} = \frac{\overset{2}{\cancel{4}}}{5} \times \frac{3}{\underset{1}{\cancel{2}}} = \frac{❶}{5} = 1\frac{❷}{5}$$

◆ 정답 ❶ 6　❷ 1

[1～3] 나눗셈식을 곱셈식으로 나타내어 계산하려고 합니다. □ 안에 알맞은 수를 써넣으세요.

1 $\dfrac{5}{7} \div \dfrac{2}{3} = \dfrac{5}{7} \times \dfrac{\boxed{}}{2} = \dfrac{\boxed{}}{14} = \boxed{}$

2 $\dfrac{3}{4} \div \dfrac{5}{9} = \dfrac{3}{4} \times \dfrac{\boxed{}}{5} = \dfrac{\boxed{}}{20} = \boxed{}$

왜 $\frac{2}{5} \div \frac{3}{4}$ 을 $\frac{2}{5} \times \frac{4}{3}$ 로 계산하는지 설명해 줄게요.

3 $\dfrac{5}{9} \div \dfrac{1}{5} = \dfrac{5}{9} \times 5 = \dfrac{\boxed{}}{9} = \boxed{}$

$÷\frac{1}{5}$ 은 ×5로 나타냅니다.

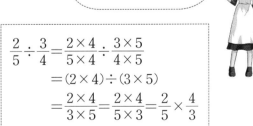

$$\frac{2}{5} \div \frac{3}{4} = \frac{2 \times 4}{5 \times 4} \div \frac{3 \times 5}{4 \times 5}$$
$$= (2 \times 4) \div (3 \times 5)$$
$$= \frac{2 \times 4}{3 \times 5} = \frac{2 \times 4}{5 \times 3} = \frac{2}{5} \times \frac{4}{3}$$

[4～5] 계산하여 기약분수로 나타내어 보세요.

4 $\dfrac{3}{7} \div \dfrac{1}{4}$

5 $\dfrac{7}{9} \div \dfrac{3}{8}$

아직도 기억 못하신 거에요?

큰일 났네. 이 숫자가 아니었나봐.

내가 못 살아~.

이게 다 너 때문이잖아!

쳇, 간식 좀 먹었다고 너무하시네요!

쳇!

어쭈!

대체 언제까지 저러고 있을 거야?

아함

에헴~ 의사로서 품격을 지켜야지.

이건 뭐지?

그러게요.

여기 문제가 적힌 종이가 있어요.

$3\frac{1}{2} \div \frac{3}{4}$

혹시 그게 비밀번호?

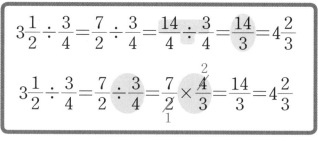

(대분수)÷(분수)를 계산할 때 먼저 대분수를 가분수로 나타내야 해요.

$$3\frac{1}{2} \div \frac{3}{4} = \frac{7}{2} \div \frac{3}{4} = \frac{14}{4} \div \frac{3}{4} = \frac{14}{3} = 4\frac{2}{3}$$

$$3\frac{1}{2} \div \frac{3}{4} = \frac{7}{2} \div \frac{3}{4} = \frac{7}{2} \times \frac{\overset{2}{4}}{3} = \frac{14}{3} = 4\frac{2}{3}$$

으~ 이것도 아니야.

이 문은 뭐지?

여기 문은 그냥 열리는데요?

딸깍

헐~.

헤 헤

◎ (분수)÷(분수)를 계산하기

• $\dfrac{5}{2} \div \dfrac{3}{4}$ 을 계산하기

방법 1 $\dfrac{5}{2} \div \dfrac{3}{4} = \dfrac{10}{4} \div \dfrac{3}{4} = 10 \div 3$

$= \dfrac{10}{3} =$ ❶ ☐

방법 2 $\dfrac{5}{2} \div \dfrac{3}{4} = \dfrac{5}{\underset{1}{2}} \times \dfrac{\overset{2}{4}}{3} = \dfrac{10}{3} = 3\dfrac{1}{3}$

• $3\dfrac{1}{2} \div \dfrac{3}{4}$ 을 계산하기

먼저 가분수로 나타내요.

방법 1 $3\dfrac{1}{2} \div \dfrac{3}{4} = \dfrac{7}{2} \div \dfrac{3}{4} = \dfrac{14}{4} \div \dfrac{3}{4}$

$= 14 \div 3 = \dfrac{14}{3} =$ ❷ ☐

방법 2 $3\dfrac{1}{2} \div \dfrac{3}{4} = \dfrac{7}{2} \div \dfrac{3}{4} = \dfrac{7}{\underset{1}{2}} \times \dfrac{\overset{2}{4}}{3}$

$= \dfrac{14}{3} = 4\dfrac{2}{3}$

❖ 정답 ❶ $3\dfrac{1}{3}$ ❷ $4\dfrac{2}{3}$

1

분수의 나눗셈

[1～2] ☐ 안에 알맞은 수를 써넣으세요.

1 (1) $\dfrac{5}{4} \div \dfrac{2}{3} = \dfrac{15}{12} \div \dfrac{8}{12} = 15 \div \boxed{} = \dfrac{15}{\boxed{}} = \boxed{}$

(2) $\dfrac{5}{4} \div \dfrac{2}{3} = \dfrac{5}{4} \times \dfrac{\boxed{}}{2} = \dfrac{\boxed{}}{8} = \boxed{}$

2 (1) $1\dfrac{1}{4} \div \dfrac{5}{7} = \dfrac{5}{4} \div \dfrac{5}{7} = \dfrac{35}{28} \div \dfrac{\boxed{}}{\boxed{}} = 35 \div \boxed{} = \dfrac{35}{\boxed{}} = \dfrac{7}{\boxed{}} = \boxed{}$

(대분수)÷(분수)에서
대분수는 꼭 가분수로
나타내어 계산해요.

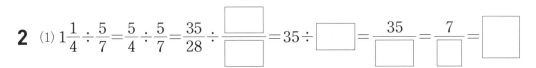

(2) $1\dfrac{1}{4} \div \dfrac{5}{7} = \dfrac{5}{4} \div \dfrac{5}{7} = \dfrac{\overset{1}{5}}{4} \times \dfrac{\boxed{}}{\underset{1}{5}} = \dfrac{\boxed{}}{4} = \boxed{}$

[3～6] 계산하여 기약분수로 나타내어 보세요.

3 $\dfrac{3}{2} \div \dfrac{5}{8}$

4 $\dfrac{10}{9} \div \dfrac{2}{5}$

5 $3\dfrac{2}{3} \div \dfrac{5}{6}$

6 $1\dfrac{3}{5} \div \dfrac{8}{9}$

(분수)÷(분수)를 (분수)×(분수)로 나타내기

[01~05] □ 안에 알맞은 수를 써넣으세요.

01 $\dfrac{6}{7} \div \dfrac{4}{9} = \dfrac{6}{7} \times \dfrac{\boxed{}}{\boxed{}} = \dfrac{\boxed{}}{14} = \boxed{}$

02 $\dfrac{2}{5} \div \dfrac{7}{10} = \dfrac{2}{5} \times \dfrac{\boxed{}}{\boxed{}} = \dfrac{\boxed{}}{7}$

03 $\dfrac{3}{4} \div \dfrac{3}{10} = \dfrac{3}{4} \times \dfrac{\boxed{}}{\boxed{}} = \dfrac{\boxed{}}{2} = \boxed{}$

04 $\dfrac{2}{7} \div \dfrac{2}{5} = \dfrac{2}{7} \times \dfrac{\boxed{}}{\boxed{}} = \dfrac{\boxed{}}{7}$

05 $\dfrac{5}{9} \div \dfrac{2}{3} = \dfrac{5}{9} \times \dfrac{\boxed{}}{\boxed{}} = \dfrac{\boxed{}}{6}$

여러 가지 (분수)÷(분수)

[06~20] 계산하여 기약분수로 나타내어 보세요.

06 $6 \div \dfrac{4}{5}$

07 $4 \div \dfrac{3}{5}$

08 $7 \div \dfrac{2}{5}$

09 $8 \div \dfrac{7}{9}$

10 $9 \div \dfrac{4}{7}$

11 $\dfrac{9}{5} \div \dfrac{2}{3}$

12 $\dfrac{7}{2} \div \dfrac{3}{5}$

13 $\dfrac{4}{3} \div \dfrac{2}{5}$

14 $\dfrac{8}{5} \div \dfrac{3}{4}$

15 $\dfrac{9}{4} \div \dfrac{2}{9}$

16 $5\dfrac{1}{3} \div \dfrac{3}{5}$

17 $1\dfrac{7}{8} \div \dfrac{6}{7}$

18 $2\dfrac{1}{3} \div \dfrac{1}{2}$

19 $3\dfrac{1}{4} \div \dfrac{4}{5}$

20 $3\dfrac{1}{2} \div \dfrac{2}{3}$

1

분수의 나눗셈

01 그림을 보고 □ 안에 알맞은 수를 써넣으세요.

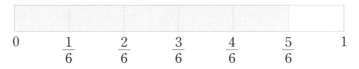

• $\frac{5}{6}$ 에는 $\frac{1}{6}$ 이 □ 번 들어갑니다.

• $\frac{5}{6} \div \frac{1}{6} = $ □

02 □ 안에 알맞은 수를 써넣으세요.

$\frac{4}{9}$ 는 $\frac{1}{9}$ 이 □ 개이고 $\frac{2}{9}$ 는 $\frac{1}{9}$ 이 □ 개이므로

$\frac{4}{9} \div \frac{2}{9} = $ □ 입니다.

03 빈칸에 알맞은 수를 써넣으세요.

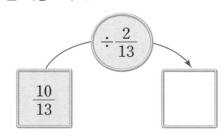

04 □ 안에 알맞은 수를 써넣으세요.

$$\frac{7}{11} \div \frac{3}{11} = \boxed{} \div \boxed{} = \frac{\boxed{}}{\boxed{}} = \boxed{}$$

05 그림을 보고 □ 안에 알맞은 수를 써넣으세요.

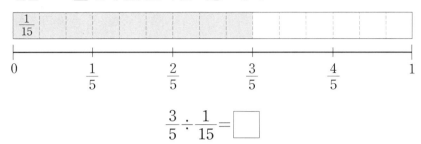

$$\frac{3}{5} \div \frac{1}{15} = \boxed{}$$

Tip

• $\frac{3}{5}$에 $\frac{1}{15}$이 몇 번 들어가는지 생각해 봅니다.

1

분수의 나눗셈

06 □ 안에 알맞은 수를 써넣으세요.

$$\frac{3}{5} \div \frac{2}{3} = \frac{\boxed{}}{15} \div \frac{\boxed{}}{15} = \boxed{} \div \boxed{} = \frac{\boxed{}}{\boxed{}}$$

분모가 다른 분수의 나눗셈은 분모를 같게 통분하여 분자끼리 나누어 계산해요.

07 계산 결과를 비교하여 ◯ 안에 >, =, <를 알맞게 써넣으세요.

$$\frac{6}{13} \div \frac{5}{13} \quad \bigcirc \quad \frac{6}{11} \div \frac{5}{11}$$

08 관계있는 것끼리 이어 보세요.

$\frac{5}{7} \div \frac{3}{7}$	•	•	$11 \div 5$	•	•	$2\frac{1}{5}$
$\frac{8}{13} \div \frac{9}{13}$	•	•	$5 \div 3$	•	•	$\frac{8}{9}$
$\frac{11}{14} \div \frac{5}{14}$	•	•	$8 \div 9$	•	•	$1\frac{2}{3}$

• 분모가 같은 분수의 나눗셈은 분자끼리 나누어 계산합니다.

09 □ 안에 알맞은 수를 써넣으세요.

$$8 \div \frac{2}{5} = (8 \div \boxed{}) \times \boxed{} = \boxed{}$$

10 계산 결과가 큰 것부터 순서대로 기호를 써 보세요.

$$\bigcirc \; 12 \div \frac{3}{8} \qquad \bigcirc \; 10 \div \frac{2}{7} \qquad \bigcirc \; 15 \div \frac{5}{9}$$

(   )

11 □ 안에 알맞은 수를 써넣어 곱셈식으로 나타내어 보세요.

$$\frac{3}{7} \div \frac{2}{5} = \frac{3}{7} \times \frac{1}{\boxed{}} \times \boxed{} = \frac{3}{7} \times \frac{\boxed{}}{\boxed{}}$$

12 나눗셈식을 곱셈식으로 나타내어 계산하고 답은 기약분수로 나타내어 보세요.

(1) $\dfrac{7}{10} \div \dfrac{3}{5}$ (2) $\dfrac{8}{9} \div \dfrac{6}{7}$

13 다음은 분수의 나눗셈을 잘못 계산한 것입니다. 계산이 잘못된 이유를 쓰고 바르게 고쳐 계산해 보세요.

Tip

$$1\frac{2}{5} \div \frac{7}{8} = 1\frac{2}{5} \times \frac{8}{7} = 1\frac{16}{35}$$

잘못된 이유 _____

옳은 계산 _____

1

분수의 나눗셈

14 넓이가 $\frac{11}{12}$ m²인 직사각형이 있습니다. 세로가 $\frac{5}{7}$ m일 때 가로는 몇 m 일까요?

$$\frac{11}{12} \text{ m}^2 \qquad \frac{5}{7} \text{ m}$$

(   )

(직사각형의 넓이)
= (가로) × (세로)

15 호떡 한 개를 만드는 데 밀가루 $\frac{5}{8}$ 컵이 필요합니다. 밀가루 $8\frac{3}{4}$ 컵으로 만들 수 있는 호떡은 몇 개일까요?

(   )

• 호떡 1개 ⇨ 밀가루 $\frac{5}{8}$ 컵

호떡 2개 ⇨ 밀가루 $\left(\frac{5}{8} \times 2\right)$컵

호떡 3개 ⇨ 밀가루 $\left(\frac{5}{8} \times 3\right)$컵

⋮

호떡 ●개

⇨ 밀가루 $\frac{5}{8} \times ● = 8\frac{3}{4}$ (컵)

단원 평가

01 수직선을 보고 □ 안에 알맞은 수를 써넣으세요.

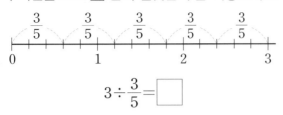

$$3 \div \frac{3}{5} = \boxed{}$$

[05~06] 계산하여 기약분수로 나타내어 보세요.

05 $\dfrac{7}{13} \div \dfrac{9}{13}$

[02~04] □ 안에 알맞은 수를 써넣으세요.

02 $\dfrac{10}{11} \div \dfrac{5}{11} = \boxed{} \div \boxed{} = \boxed{}$

06 $\dfrac{3}{8} \div \dfrac{5}{6}$

03 $4 \div \dfrac{1}{5} = 4 \times \boxed{} = \boxed{}$

07 □ 안에 알맞은 수를 써넣어 곱셈식으로 나타내어 보세요.

$$\frac{8}{9} \div \frac{3}{7} = \frac{8}{9} \times \frac{1}{\boxed{}} \times \boxed{} = \frac{8}{9} \times \frac{\boxed{}}{\boxed{}}$$

04 $\dfrac{7}{8} \div \dfrac{5}{8} = \dfrac{7}{8} \times \dfrac{\boxed{}}{\boxed{}} = \dfrac{\boxed{}}{5} = \boxed{}$

08 **보기** 와 같이 계산해 보세요.

보기

$$1\frac{1}{4} \div \frac{3}{7} = \frac{5}{4} \div \frac{3}{7} = \frac{5}{4} \times \frac{7}{3} = \frac{35}{12} = 2\frac{11}{12}$$

$$3\frac{3}{4} \div \frac{2}{7}$$

[09~10] 계산하여 기약분수로 나타내어 보세요.

09 $4\frac{3}{5} \div \frac{2}{3}$

10 $2\frac{3}{5} \div \frac{3}{7}$

11 빈칸에 알맞은 기약분수를 써넣으세요.

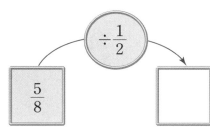

[12~13] 계산 결과를 비교하여 ○ 안에 >, =, < 를 알맞게 써넣으세요.

12 $\frac{2}{9} \div \frac{5}{6}$ ○ $1\frac{2}{3} \div \frac{3}{4}$

13 $\frac{6}{7} \div \frac{2}{3}$ ○ $2\frac{2}{3} \div \frac{7}{9}$

14 계산 결과가 가장 작은 것을 찾아 기호를 쓰세요.

| ㉠ $\frac{6}{7} \div \frac{2}{7}$ | ㉡ $\frac{4}{5} \div \frac{2}{5}$ | ㉢ $\frac{12}{13} \div \frac{3}{13}$ |

(   )

15 계산 결과가 가장 큰 것을 찾아 기호를 쓰세요.

$$\bigcirc\ 14 \div \frac{7}{9} \qquad \bigcirc\ 9 \div \frac{3}{4} \qquad \bigcirc\ 6 \div \frac{2}{7}$$

(   )

16 관계있는 것끼리 선으로 이어 보세요.

$1\frac{3}{7} \div \frac{3}{4}$	$\frac{5}{2} \times \frac{12}{7}$
$5\frac{1}{4} \div \frac{2}{3}$	$\frac{21}{4} \times \frac{3}{2}$
$2\frac{1}{2} \div \frac{7}{12}$	$\frac{10}{7} \times \frac{4}{3}$

17 쇠막대 $\frac{4}{5}$ m의 무게가 $3\frac{1}{6}$ kg입니다. 쇠막대 1 m의 무게는 몇 kg인지 구하세요.

(   )

18 $2\frac{4}{5} \div \frac{2}{7}$ 를 두 가지 방법으로 계산하여 기약분수로 나타내어 보세요.

19 길이가 4 m인 천을 $\frac{2}{5}$ m씩 잘라 리본을 만들려고 합니다. 리본은 모두 몇 개 만들 수 있는지 구하세요.

(   )

20 넓이가 $\frac{29}{4}$ cm²인 삼각형이 있습니다. 밑변의 길이가 $\frac{5}{3}$ cm일 때 높이는 몇 cm인지 기약분수로 나타내어 보세요.

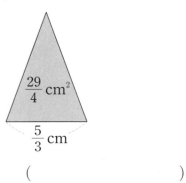

(   )

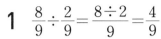

스스로 학습장은 이 단원에서 배운 것을 확인하는 코너입니다.
몰랐던 것은 꼭 다시 공부해서 내 것으로 만들어 보아요.

• 스피드 정답표 3쪽, 정답 21쪽

✳ 분수의 나눗셈에 대한 온유의 오답 노트입니다. 틀린 부분을 바르게 고쳐서 다시 풀어 보세요.

1 $\dfrac{8}{9} \div \dfrac{2}{9} = \dfrac{8 \div 2}{9} = \dfrac{4}{9}$

2 $\dfrac{7}{9} \div \dfrac{4}{9} = 7 \div 4 = \dfrac{4}{7}$

3 $\dfrac{9}{14} \div \dfrac{2}{3} = \dfrac{9}{14} \times \dfrac{3}{2} = \dfrac{3}{28}$

4 $5\dfrac{1}{4} \div \dfrac{2}{3} = \dfrac{\overset{7}{\cancel{21}}}{\underset{2}{\cancel{4}}} \times \dfrac{\overset{1}{\cancel{2}}}{\underset{1}{\cancel{3}}} = \dfrac{7}{2} = 3\dfrac{1}{2}$

5 $2\dfrac{3}{4} \div \dfrac{1}{5} = \dfrac{9}{4} \times \dfrac{1}{5} = \dfrac{9}{20}$

6 $1\dfrac{3}{8} \div \dfrac{3}{4} = \dfrac{11}{8} \times \dfrac{3}{4} = 1\dfrac{1}{32}$

7 $6 \div \dfrac{3}{8} = \dfrac{6 \div 3}{8} = \dfrac{\overset{1}{\cancel{2}}}{\underset{4}{\cancel{8}}} = \dfrac{1}{4}$

8 $4 \div \dfrac{3}{5} = 4 \times \dfrac{5}{3} = \dfrac{5}{4 \times 3} = \dfrac{5}{12}$

1 분수의 나눗셈

2

소수의 나눗셈

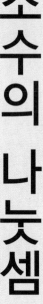

QR 코드를 찍으면 2단원 개념 동영상 강의를 볼 수 있어요

📖 이번에 배울 내용

- (소수)÷(소수)
- (자연수)÷(소수)
- 몫을 반올림하여 나타내기
- 나누어 주고 남는 양 알아보기

여기는 작은 섬의 진료소지만 도시에 있는 큰 병원은 더 대단하답니다.

기회가 된다면 꼭 한 번 가보고 싶네요.

왜 그러세요?

아프리카에 있는 환자들이 생각나서.

병원과 약이 부족해서 힘들어 하고 있거든요.

역시, 환자를 생각하는 박사님의 모습에 감동을 느낍니다.

의사라면 당연히 환자를 위해 희생해야 하는 법이지.

이런 건 적어야 해.

여기는 약도 충분하고 보관도 잘되어 있군요.

또 아프리카의 환자들 생각하시는 거예요?

흑

그게 아니고…… 배가 고파서 그래요. 뭐 먹을 거 없나?

네?

꼬르륵

우린 아주 긴 시간을 여행했지. 배가 고픈 건 당연하잖아.

하하

꼬르륵

하하

이거 드세요~.

척

고맙구나!

저건 내가 숨겨둔 간식이잖아. 어떻게 찾았어?

쩝 쩝

넌 왜 먹는 거야?

음식은 나눠 먹어야 맛있죠!

쩝 쩝 쩝

자, 음식을 준 대가로 선물을 줄게.

예!

헉! 이게 선물이라니!

풀 수 있겠니?

$19.6 \div 7$

아니요. ㅠㅠ

설명해줄 테니 잘 들어봐.

이런 선물은 많을수록 좋아요~.

허걱

소수를 분수로 고쳐서 계산할 수 있단다.

$$19.6 \div 7 = \frac{196}{10} \div 7 = \frac{196 \div 7}{10} = \frac{28}{10} = 2.8$$

19.6은 소수 한 자리 수이므로 분모가 10인 분수로 고칩니다.

준비 학습

1 계산해 보세요.

(1) 1.7×4

(2) 50×2.03

2 를 이용하여 계산해 보세요.

> **보기**
> $$23 \times 33 = 759$$

(1) 2.3×3.3　　　　(2) 0.23×3.3

3 $\dfrac{6}{7} \div 3$을 두 가지 방법으로 계산해 보세요.

> **방법 1**
>
> ----------
>
> **방법 2**

4 □ 안에 알맞은 수를 써넣으세요.

$$22.2 \div 6 = \frac{222}{10} \div 6 = \frac{222 \div 6}{10} = \frac{\boxed{}}{10} = \boxed{}$$

개념 체크 ❶ ◀ 5학년 2학기 4단원

(소수)×(자연수), (자연수)×(소수)

소수를 분수로 나타내어 계산할 수 있습니다.

예 $1.4 \times 3 = \dfrac{14}{10} \times 3 = \dfrac{42}{10} = 4.2$

$\quad 16 \times 1.3 = 16 \times \dfrac{13}{10} = \dfrac{208}{10} = 20.8$

개념 체크 ❷ ◀ 5학년 2학기 4단원

(소수)×(소수)

자연수의 곱셈을 이용하여 계산합니다.

예
$$37 \times 11 = 407$$
$$\downarrow \tfrac{1}{10}\text{배} \quad \downarrow \tfrac{1}{10}\text{배} \quad \downarrow \tfrac{1}{100}\text{배}$$
$$3.7 \times 1.1 = 4.07$$

개념 체크 ❸ ◀ 6학년 1학기 1단원

(분수)÷(자연수)

- 분자가 자연수의 배수일 때에는 분자를 자연수로 나누어 계산하기

예 $\dfrac{4}{9} \div 2 = \dfrac{4 \div 2}{9} = \dfrac{2}{9}$

- ÷(자연수)를 $\times \dfrac{1}{(자연수)}$로 바꾸어 계산하기

예 $\dfrac{4}{9} \div 2 = \dfrac{\overset{2}{\cancel{4}}}{9} \times \dfrac{1}{\underset{1}{\cancel{2}}} = \dfrac{2}{9}$

개념 체크 ❹ ◀ 6학년 1학기 3단원

(소수)÷(자연수)

소수를 분수로 바꾸어 분수의 나눗셈으로 계산할 수 있습니다.

예 $2.7 \div 3 = \dfrac{27}{10} \div 3 = \dfrac{27 \div 3}{10}$

$\qquad\qquad = \dfrac{9}{10} = 0.9$

• 스피드 정답표 4쪽, 정답 22쪽 ◯ 월 ◯ 일

5 자연수의 나눗셈을 이용하여 소수의 나눗셈을 해 보세요.

$$728 \div 7 = 104 \Rightarrow 72.8 \div 7 = \boxed{}$$

6 몫을 기약분수로 나타내어 보세요.

(1) $1\dfrac{4}{5} \div 3$

(2) $1\dfrac{7}{8} \div 5$

7 계산해 보세요.

(1) $9\overline{)7.5\,6}$

(2) $8\overline{)4.8\,8}$

8 직사각형의 넓이가 137.8 cm^2입니다. ☐ 안에 알맞은 수를 써넣으세요.

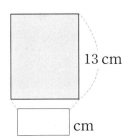

13 cm

☐ cm

개념 체크 5 ◀ 6학년 1학기 3단원

자연수의 나눗셈을 이용한 (소수)÷(자연수)

나누는 수는 같고 나누어지는 수가 $\dfrac{1}{10}$ 배,

$\dfrac{1}{100}$ 배가 되면 몫도 $\dfrac{1}{10}$ 배, $\dfrac{1}{100}$ 배가

됩니다.

예) $828 \div 4 = 207$

$82.8 \div 4 = 20.7$

$8.28 \div 4 = 2.07$

개념 체크 6 ◀ 6학년 1학기 1단원

(대분수)÷(자연수)

먼저 대분수를 가분수로 바꾸어 계산합니다.

개념 체크 7 ◀ 6학년 1학기 3단원

(소수)÷(자연수)

몫이 1보다 작은 소수일 때는 자연수 부분에 0을 쓰고 소수점을 올려서 찍습니다.

개념 체크 8 ◀ 6학년 1학기 3단원

(소수)÷(자연수)

몫의 소수점은 나누어지는 수의 소수점의 자리에 맞추어 찍습니다.

2

소수의 나눗셈

교과서 개념

자연수의 나눗셈을 이용하여 (소수)÷(소수)는 어떻게 하나요? (1)

12.5 cm＝125 mm, 0.5 cm＝5 mm이므로 반창고 12.5 cm를 0.5 cm씩 자르는 것은 125 mm를 5 mm씩 자르는 것과 같다.

$$12.5 \div 0.5 = 125 \div 5$$
$$125 \div 5 = 25$$
$$12.5 \div 0.5 = 25$$

◎ **자연수의 나눗셈을 이용한 (소수)÷(소수)⑴**

• 길이가 12.5 cm인 리본을 0.5 cm씩 자르기

cm를 mm로 바꾸어 계산합니다.

12.5 cm＝125 mm, 0.5 cm＝5 mm

리본 12.5 cm를 0.5 cm씩 자르는 것은

리본 ❶ [   ] mm를 5 mm씩 자르는 것과 같습니다.

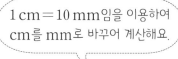

1 cm＝10 mm임을 이용하여 cm를 mm로 바꾸어 계산해요.

$$12.5 \div 0.5 = 125 \div 5$$

$$125 \div 5 = ❷ [\quad]$$

$$12.5 \div 0.5 = ❸ [\quad]$$

◯ 정답 ❶ 125   ❷ 25   ❸ 25

1 종이띠 14.4 cm를 0.6 cm씩 자르면 자른 도막은 몇 개인지 구하려고 합니다. ☐ 안에 알맞은 수를 써넣으세요.

cm를 mm로 바꾸어 계산합니다.

14.4 cm＝[   ] mm, 0.6 cm＝[   ] mm

종이띠 14.4 cm를 0.6 cm씩 자르는 것은

종이띠 144 mm를 6 mm씩 자르는 것과 같습니다.

$$14.4 \div 0.6 = [\qquad] \div 6$$

$$[\qquad] \div 6 = 24$$

$$14.4 \div 0.6 = [\qquad]$$

1 cm＝10 mm이니까 14.4 cm＝144 mm 랍니다.

2 종이띠 6.12 m를 0.06 m씩 자르면 자른 도막은 몇 개인지 구하려고 합니다. ☐ 안에 알맞은 수를 써넣으세요.

m를 cm로 바꾸어 계산합니다.

6.12 m＝[   ] cm, 0.06 m＝[   ] cm

종이띠 6.12 m를 0.06 m씩 자르는 것은 종이띠 612 cm를 6 cm씩 자르는 것과 같습니다.

$$6.12 \div 0.06 = [\qquad] \div 6$$

$$[\qquad] \div 6 = 102$$

$$6.12 \div 0.06 = [\qquad]$$

자연수의 나눗셈을 이용하여 (소수)÷(소수)는 어떻게 하나요? (2)

12.5÷0.5는 자연수의 나눗셈
125÷5를 이용해서 계산할 수 있어.

$$
\begin{array}{c}
\overset{10배}{\overbrace{}}\;12.5 \div 0.5\;\overset{10배}{\overbrace{}}\\
125 \div 5 = 25\\
12.5 \div 0.5 = 25
\end{array}
$$

◎ **자연수의 나눗셈을 이용한 (소수)÷(소수) ⑵**

• 125÷5를 이용하여 12.5÷0.5와 1.25÷0.05를 계산하기

12.5 ÷ 0.5
10배 ↙　　　↘ 10배
125 ÷ 5 ＝25

12.5÷0.5＝ [❶]

1.25 ÷ 0.05
100배 ↙　　　↘ 100배
125 ÷ 5 ＝25

1.25÷0.05＝ [❷]

나누는 수와 나누어지는 수에 똑같이 10배 또는 100배를 하여 (자연수)÷(자연수)로 계산해요.

⟳ 정답　❶ 25　❷ 25

[1~6] □ 안에 알맞은 수를 써넣으세요.

1
31.8 ÷ 0.6
10배 ↙　　　↘ 10배
□ ÷ □ ＝ □

31.8÷0.6＝ □

2
0.84 ÷ 0.12
100배 ↙　　　↘ 100배
□ ÷ □ ＝ □

0.84÷0.12＝ □

3
48.4 ÷ 0.4
10배 ↙　　　↘ 10배
□ ÷ □ ＝ □

48.4÷0.4＝ □

4
1.15 ÷ 0.05
100배 ↙　　　↘ 100배
□ ÷ □ ＝ □

1.15÷0.05＝ □

5
39.9 ÷ 0.3
10배 ↙　　　↘ 10배
□ ÷ □ ＝ □

39.9÷0.3＝ □

6
1.05 ÷ 0.15
100배 ↙　　　↘ 100배
□ ÷ □ ＝ □

1.05÷0.15＝ □

2

소수의 나눗셈

교과서 개념

소수 한 자리 수끼리의 나눗셈은 어떻게 하나요?

선생님, 선생님~.

큰일 났어요!

우리 봉순이가 다리를 다쳐서 걷질 못해요.

무슨 일이시죠?

네, 알겠습니다!

부러졌을지도 모르니 부목과 붕대를 챙겨갑시다.

네, 그럴게요.

약통에 붕대가 있을 거야.

찾았어요.

길이가 4.8 m인 붕대를 0.6 m씩 잘라줄래?

4.8÷0.6을 하는 건가?

가위 이리 줘 봐!

4.8÷0.6을 계산해 볼까?

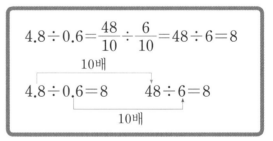

$$4.8 \div 0.6 = \frac{48}{10} \div \frac{6}{10} = 48 \div 6 = 8$$

10배

$$4.8 \div 0.6 = 8 \qquad 48 \div 6 = 8$$

10배

정확히 8개네요.

미리 잘라가면 바로 붕대를 감을 수 있지.

내가 같이 가면 도움이 될 거예요.

고맙습니다!

잠깐만요!

?!

개념 클릭

◎ 소수 한 자리 수끼리의 나눗셈

· 4.8÷0.6을 계산하기

(1) $4.8 \div 0.6 = \dfrac{48}{10} \div \dfrac{6}{10} = 48 \div 6 = 8$

(2)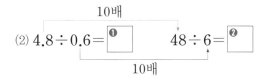

(3) $0.6\overline{)4.8}$ ⇨ $0.6\overline{)4.8}$ ⇨ $6\overline{)4\,8}$

나누는 수와 나누어지는 수의 소수점을 각각 오른쪽으로 한 자리씩 옮겨서 계산해요.

◎ 정답 ❶ 8　❷ 8

---

1 6.5÷0.5를 계산하려고 합니다. ☐ 안에 알맞은 수를 써넣으세요.

(1) $6.5 \div 0.5 = \dfrac{65}{10} \div \dfrac{5}{10} = 65 \div \boxed{} = \boxed{}$

(2) 10배
　　$6.5 \div 0.5 = \boxed{}$　　$65 \div 5 = \boxed{}$
　　10배

(3)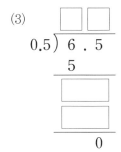

세로 계산에서 몫을 쓸 때 옮긴 소수점의 위치에서 소수점을 찍어야 해요.

[2~7] 계산해 보세요.

2 $8.4 \div 0.6$

3 $4.8 \div 0.3$

4 $6.8 \div 0.4$

5 $0.6\overline{)1\,0.2}$

6 $1.5\overline{)1\,9.5}$

7 $3.4\overline{)5\,7.8}$

2
소수의 나눗셈

자연수의 나눗셈을 이용한 (소수)÷(소수)

01 종이띠 16.8 cm를 0.7 cm씩 자르면 자른 도막은 몇 개인지 구하려고 합니다. □ 안에 알맞은 수를 써넣으세요.

> cm를 mm로 바꾸어 계산합니다.
>
> 16.8 cm = ⬜ mm,
>
> 0.7 cm = ⬜ mm
>
> 종이띠 16.8 cm를 0.7 cm씩 자르는 것은 종이띠 168 mm를 7 mm씩 자르는 것과 같습니다.
>
> 16.8÷0.7 = ⬜ ÷7
>
> ⬜ ÷7 = 24
>
> 16.8÷0.7 = ⬜

02 종이띠 8.24 m를 0.08 m씩 자르면 자른 도막은 몇 개인지 구하려고 합니다. □ 안에 알맞은 수를 써넣으세요.

> m를 cm로 바꾸어 계산합니다.
>
> 8.24 m = ⬜ cm,
>
> 0.08 m = ⬜ cm
>
> 종이띠 8.24 m를 0.08 m씩 자르는 것은 종이띠 824 cm를 8 cm씩 자르는 것과 같습니다.
>
> 8.24÷0.08 = ⬜ ÷8
>
> ⬜ ÷8 = 103
>
> 8.24÷0.08 = ⬜

[03~06] 소수의 나눗셈을 자연수의 나눗셈을 이용하여 계산하려고 합니다. □ 안에 알맞은 수를 써넣으세요.

03

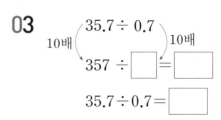

357 ÷ ⬜ = ⬜

35.7÷0.7 = ⬜

04

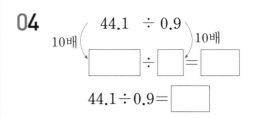

⬜ ÷ ⬜ = ⬜

44.1÷0.9 = ⬜

05

⬜ ÷ ⬜ = ⬜

4.48÷0.32 = ⬜

06

⬜ ÷ ⬜ = ⬜

7.56÷0.21 = ⬜

소수 한 자리 수끼리의 나눗셈

[07~11] 소수의 나눗셈을 분수의 나눗셈으로 바꾸어 계산하려고 합니다. □ 안에 알맞은 수를 써넣으세요.

07 $2.4 \div 0.3 = \dfrac{24}{10} \div \dfrac{\boxed{}}{10}$

$= \boxed{} \div \boxed{} = \boxed{}$

08 $2.8 \div 0.7 = \dfrac{28}{10} \div \dfrac{\boxed{}}{10}$

$= \boxed{} \div \boxed{} = \boxed{}$

09 $5.6 \div 0.8 = \dfrac{56}{10} \div \dfrac{\boxed{}}{10}$

$= \boxed{} \div \boxed{} = \boxed{}$

10 $4.9 \div 0.7 = \dfrac{49}{10} \div \dfrac{\boxed{}}{10}$

$= \boxed{} \div \boxed{} = \boxed{}$

11 $1.4 \div 0.2 = \dfrac{14}{10} \div \dfrac{\boxed{}}{10}$

$= \boxed{} \div \boxed{} = \boxed{}$

[12~16] 계산해 보세요.

12 $0.7 \overline{)8.4}$

13 $1.2 \overline{)4.8}$

14 $0.7 \overline{)25.2}$

15 $8.5 \overline{)42.5}$

16 $3.4 \overline{)37.4}$

2

소수의 나눗셈

2. 소수의 나눗셈 • **49**

교과서 개념

소수 두 자리 수끼리의 나눗셈은 어떻게 하나요?

상처에 바르는 연고도 챙겨가야죠.

맞아요.

와우~, 역시!

에헴

척

소독약

소독약도 챙길게요.

소독약 1.12 L가 있는데 한 병에 0.14 L씩 나누어 담아주세요.

그건 제가 할게요~.

저도 도울게요.

삭

그럼 0.14 L짜리 몇 병이 되는 거죠?

소독약

1.12 ÷ 0.14를 계산해 볼까?

$$1.12 \div 0.14 = \frac{112}{100} \div \frac{14}{100} = 112 \div 14 = 8$$

100배

$1.12 \div 0.14 = 8 \qquad 112 \div 14 = 8$

100배

8병이 되는구나.

빨리 출발하죠!

이 분이 그 유명한 선생님이신가?

벌써 소문이 났나요?

척

척

내가 못 살아!

어이쿠!

퍽

◎ 소수 두 자리 수끼리의 나눗셈

• 1.12÷0.14를 계산하기

(1) $1.12 \div 0.14 = \dfrac{112}{100} \div \dfrac{14}{100} = 112 \div 14 = 8$

100배

(2) $1.12 \div 0.14 =$ **❶**　　　$112 \div 14 =$ **❷**

100배

세로 계산에서 몫을 쓸 때 옮긴 소수점의 위치에서 소수점을 찍어야 해요.

(3) $0.14{\overline{)1.12}} \Rightarrow 0.14{\overline{)1.12}} \Rightarrow 14{\overline{)112}}$

$$14{\overline{)\begin{array}{r}8\\112\\112\\\hline0\end{array}}}$$

◐ 정답 ❶ 8　❷ 8

1 3.36÷0.12를 계산하려고 합니다. ☐ 안에 알맞은 수를 써넣으세요.

(1) $3.36 \div 0.12 = \dfrac{336}{100} \div \dfrac{12}{100} = 336 \div \boxed{} = \boxed{}$

100배

(2) $3.36 \div 0.12 = \boxed{}$　　　$336 \div 12 = \boxed{}$

100배

(3)

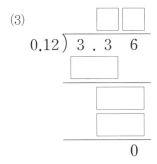

나누는 수와 나누어지는 수를 똑같이 100배씩 하므로 소수점을 각각 오른쪽으로 두 자리씩 옮겨서 계산해요.

[2~7] 계산해 보세요.

2 3.51÷0.13

3 1.38÷0.23

4 1.12÷0.16

5 $0.24{\overline{)1.92}}$

6 $0.43{\overline{)2.15}}$

7 $0.46{\overline{)5.52}}$

아이고 힘들다!

체력이 너무 약하신 거 아니에요?

우리 동네에는 이런 산이 없어!

그래서 체력이 약하시구나~.

시끄럽다! 너 자릿수가 다른 (소수)÷(소수) 할 줄 알아?

두둥

6.25÷2.5는?

음…… 이번에는 정말…….

알았어요!

딱

6.25÷2.5의 계산은 나누어지는 수와 나누는 수를 각각 100배씩 해서 계산할 수 있어요.

$$6.25 \div 2.5 = 2.5 \qquad 625 \div 250 = 2.5$$

100배

100배

맞죠, 그렇죠?

오, 대단한데?

드디어 내가 수학에 눈을 뜬 거야!

하 하 하

이게 다 내 덕분이라고!

에헴

원래 제가 좀 똑똑하죠!

다 왔어요!

같이 가요!

다다다

드디어 내 능력을 발휘할 때가 왔군!

◎ 자릿수가 다른 (소수)÷(소수)

• 6.25÷2.5를 계산하기

6.25와 2.5를 각각 10배씩 해서 계산할 수도 있어요.
62.5÷25=❷

100배

(1) $6.25 \div 2.5 = $ ❶ $625 \div 250 = 2.5$

100배

$$\begin{array}{r} 2.5 \\ 250{\overline{\smash{\big)}\,625.0}} \\ \underline{500} \\ 1250 \\ \underline{1250} \\ 0 \end{array}$$

(2) $2.5{\overline{\smash{\big)}\,6.25}} \Rightarrow 2.5\underset{0}{)}6.25 \Rightarrow$

○ 정답 ❶ 2.5 ❷ 2.5

[1~2] □ 안에 알맞은 수를 써넣으세요.

1 (1) 10배
$7.82 \div 2.3 = \square$ $78.2 \div 23 = \square$
10배

(2)
$$\begin{array}{r} \square.\square \\ 2.3{\overline{\smash{\big)}\,7.8\,2}} \\ \underline{\square} \\ \square \\ \underline{\square} \\ 0 \end{array}$$

2 (1) 100배
$2.88 \div 0.4 = \square$ $288 \div 40 = \square$
100배

(2)
$$\begin{array}{r} \square.\square \\ 0.40{\overline{\smash{\big)}\,2.8\,8\,0}} \\ \underline{\square} \\ 8\,\square \\ \underline{\square} \\ 0 \end{array}$$

[3~5] 계산해 보세요.

3
$$1.5{\overline{\smash{\big)}\,4.95}}$$

4
$$0.7{\overline{\smash{\big)}\,3.64}}$$

5
$$0.4{\overline{\smash{\big)}\,2.68}}$$

2
소수의 나눗셈

교과서 개념

(자연수)÷(소수)는 어떻게 하나요?

21÷3.5를 계산해서 나누어 담아볼게요.

$$21 \div 3.5 = \frac{210}{10} \div \frac{35}{10} = 210 \div 35 = 6$$

10배

$$21 \div 3.5 = 6 \qquad 210 \div 35 = 6$$

10배

◎ (자연수)÷(소수) 알아보기

• 21÷3.5를 계산하기

(1) $21 \div 3.5 = \dfrac{210}{10} \div \dfrac{35}{10} = 210 \div 35 = 6$ ← 분수의 나눗셈으로 계산할 수 있어요.

(2) $21 \div 3.5 = \boxed{①}$ 　　　 $210 \div 35 = \boxed{②}$

10배 (위)
10배 (아래)

나누어지는 수와 나누는 수를 각각 10배씩 해도 나눗셈의 몫은 변하지 않아요.

(3) $3.5\overline{)2\,1} \Rightarrow 3.5\overline{)2\,1.0} \Rightarrow 35\overline{)2\,1\,0}$

$$\begin{array}{r} 6 \\ 35\overline{)2\,1\,0} \\ 2\,1\,0 \\ \hline 0 \end{array}$$

○ 정답 ① 6 ② 6

1 □ 안에 알맞은 수를 써넣으세요.

(1) $84 \div 5.6 = \dfrac{840}{10} \div \dfrac{\boxed{}}{10} = \boxed{} \div \boxed{} = \boxed{}$

나누는 수가 소수 한 자리 수이므로 분모가 10인 분수로 고쳐요.

(2) $84 \div 5.6 = \boxed{}$ 　　　 $840 \div 56 = \boxed{}$

10배 (위)
10배 (아래)

(3)

$5.6\overline{)8\,4} \Rightarrow 5.6\overline{)8\,4.0} \Rightarrow$

$$\begin{array}{r} 1\,\boxed{} \\ 56\overline{)8\,4\,0} \\ \boxed{} \\ \hline 2\,8\,0 \\ \boxed{} \\ \hline 0 \end{array}$$

[2~6] 계산해 보세요.

2
$1.5\overline{)3\,3}$

3
$9.5\overline{)3\,8}$

자연수에는 소수점이 없는데 소수점을 어떻게 옮겨요?

38÷9.5에서 38=38.0이잖아. 이제 소수점을 옮길 수 있겠지?

4
$8.4\overline{)4\,2}$

5
$1.75\overline{)5\,6}$

6
$2.16\overline{)5\,4}$

소수 두 자리 수끼리의 나눗셈

[01~02] 분수의 나눗셈으로 바꾸어 계산하려고 합니다. □ 안에 알맞은 수를 써넣으세요.

01 $3.08 \div 0.14 = \dfrac{\boxed{}}{100} \div \dfrac{\boxed{}}{100}$

$= \boxed{} \div \boxed{}$

$= \boxed{}$

02 $1.61 \div 0.23 = \dfrac{\boxed{}}{100} \div \dfrac{\boxed{}}{100}$

$= \boxed{} \div \boxed{}$

$= \boxed{}$

[03~04] 계산해 보세요.

03 $0.16 \overline{)6.8\,8}$

04 $0.47 \overline{)1\,3.1\,6}$

자릿수가 다른 (소수)÷(소수)

[05~08] □ 안에 알맞은 수를 써넣으세요.

05
100배

$4.02 \div 0.6 = \boxed{}$　　$402 \div 60 = \boxed{}$

$\boxed{}$배

06
100배

$9.66 \div 4.2 = \boxed{}$　　$966 \div 420 = \boxed{}$

$\boxed{}$배

07
10배

$6.84 \div 3.8 = \boxed{}$　　$68.4 \div 38 = \boxed{}$

$\boxed{}$배

08
$\boxed{}$배

$4.76 \div 1.4 = \boxed{}$　　$47.6 \div 14 = \boxed{}$

$\boxed{}$배

[09~12] 계산해 보세요.

09

$3.7 \overline{)2\,4.0\,5}$

10

$4.2 \overline{)1\,4.2\,8}$

11

$2.8 \overline{)1\,0.0\,8}$

12

$5.6 \overline{)9.5\,2}$

(자연수)÷(소수)

[13~14] 분수의 나눗셈으로 바꾸어 계산하려고 합니다. □ 안에 알맞은 수를 써넣으세요.

13 $36 \div 4.5 = \dfrac{\boxed{}}{10} \div \dfrac{45}{10}$

$= \boxed{} \div \boxed{}$

$= \boxed{}$

14 $10 \div 1.25 = \dfrac{\boxed{}}{100} \div \dfrac{125}{100}$

$= \boxed{} \div \boxed{}$

$= \boxed{}$

[15~16] 계산해 보세요.

15

$3.4 \overline{)1\,7}$

16

$0.72 \overline{)3\,6}$

몫을 반올림하여 나타내는 것을 설명해 줄게.
$2.3 \div 0.7$을 계산해볼까?

$2.3 \div 0.7$의 몫을 반올림하여 소수 첫째
자리까지 나타내기
$2.3 \div 0.7 = 3.2857 \cdots\cdots \Rightarrow 3.3$

$8 > 5$이므로 올림

◎ 몫을 반올림하여 나타내기

• 2.3÷0.7의 몫을 반올림하여
소수 첫째 자리까지 나타내기

2.3÷0.7=3.2857······ ⇨ 3.3

8>5이므로 올림

• 8÷3의 몫을 반올림하여
소수 첫째 자리까지 나타내기

8÷3=2.66······ ⇨ ❶

6>5이므로 올림

소수로 나누어떨어지지
않을 때에는 몫을 어림하여
나타낼 수 있어요.

◌ 정답   ❶ 2.7

1 나눗셈식을 보고 몫을 반올림하여 소수 첫째 자리까지 나타내어 보세요.

(1) 12÷7=1.714······

(   )

(2) 7÷9=0.777······

(   )

2 몫을 반올림하여 소수 첫째 자리까지 나타내어 보세요.

(1) 3÷14   (   )   (2) 23÷9   (   )   (3) 4÷11   (   )

3 몫을 반올림하여 소수 둘째 자리까지 나타내어 보세요.

(1) 32÷7   (   )   (2) 26÷17   (   )   (3) 69÷13   (   )

4 다음 나눗셈의 몫을 반올림하여 주어진 자리까지 나타내어 보세요.

17÷6

소수 첫째 자리까지 (   )
소수 둘째 자리까지 (   )

정말 고마워요.

당연히 저희가 도와드려야죠.

내가 만든 수정과인데 좀 가져가요.

와~ 감사합니다.

4.2 L있는데 2 L짜리 병 두 개에 나누어 담아가요.

네 고맙습니다.

수정과?

전통음료인데 맛이 끝내줘요!

정말?

빨리 나눠 담아요.

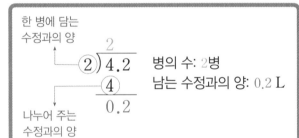

4.2÷2의 몫을 자연수까지 구하고 나머지를 알아볼까?

한 병에 담는 수정과의 양

$$
\begin{array}{r}
2 \\
2\overline{)4.2} \\
\underline{4} \\
0.2
\end{array}
$$

나누어 주는 수정과의 양

병의 수: 2병
남는 수정과의 양: 0.2 L

나누어 담았는데 0.2 L가 남았어요.

그건 걱정하지마.

이렇게 마시면 되지.

◎ 수정과 4.2 L를 한 사람에게 2 L씩 나누어 주고 남는 양 알아보기

• 4.2 ÷ 2를 계산하기

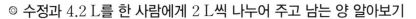

4.2 L

| 2 L | 2 L | ← 0.2 L |

한 사람이 가지는 수정과의 양

$$2)\overline{4.2}$$
$$\underline{4}$$
$$0.2$$

나누어 주는 수정과의 양

4.2 − 2 − ⬛① = ⬛②

어떤 수 안에 같은 수가 몇 번 포함되어 있는지 구하고 남는 양도 알아봐요.

수정과 4.2 L를 한 사람에게 2 L씩 나누어 주면 2명에게 나누어 주고 남는 수정과는 0.2 L입니다.

$$4.2 \div 2 = 2 \cdots 0.2$$

◎ 정답 ❶ 2 ❷ 0.2

1 물 6.3 L를 한 사람에게 2 L씩 나누어 주려고 합니다. 나누어 줄 수 있는 사람 수와 남는 물은 몇 L인지 구하세요.

$$6.3 - 2 - 2 - 2 = \boxed{}, \qquad 2)\overline{6.3}$$

사람 수를 구해야 하므로 몫을 자연수까지 구해요.

사람 수 (   ), 남는 물의 양 (   )

2 우유 8.5 L를 한 사람에게 4 L씩 나누어 주려고 합니다. 나누어 줄 수 있는 사람 수와 남는 우유는 몇 L인지 구하세요.

$$8.5 - 4 - 4 = \boxed{}, \qquad 4)\overline{8.5}$$

사람 수 (   ), 남는 우유의 양 (   )

3 물 15.3 L를 한 사람에게 5 L씩 나누어 주려고 합니다. 나누어 줄 수 있는 사람 수와 남는 물은 몇 L인지 구하세요.

$$15.3 - 5 - \boxed{} - \boxed{} = \boxed{}, \qquad 5)\overline{15.3}$$

사람 수 (   ), 남는 물의 양 (   )

몫을 반올림하여 나타내기

[01~02] 나눗셈의 몫을 반올림하여 자연수로 나타내어 보세요.

01 $47 \div 13$ ( )

02 $22 \div 12$ ( )

[03~04] 나눗셈의 몫을 반올림하여 소수 첫째 자리까지 나타내어 보세요.

03 $25 \div 9$ ( )

04 $9 \div 11$ ( )

[05~06] 나눗셈의 몫을 반올림하여 소수 둘째 자리까지 나타내어 보세요.

05 $25 \div 7$ ( )

06 $28 \div 3$ ( )

[07~10] 나눗셈의 몫을 반올림하여 주어진 자리까지 나타내어 보세요.

07
$$0.8 \overline{)3.5\,7}$$

자연수
( )

08
$$2.3 \overline{)1\,7.5}$$

소수 첫째 자리
( )

09
$$6.1 \overline{)5.8\,3}$$

소수 둘째 자리
( )

10
$$1.3 \overline{)8.6\,7}$$

소수 둘째 자리
( )

나누어 주고 남는 양 알아보기

[11~14] 몫을 자연수 부분까지 구하고 나머지를 구하세요.

11

$2\overline{)8.5}$

몫 ☐

나머지 ☐

12

$3\overline{)7.4}$

몫 ☐

나머지 ☐

13

$3\overline{)9.3}$

몫 ☐

나머지 ☐

14

$4\overline{)9.7}$

몫 ☐

나머지 ☐

[15~17] 다음과 같이 나누어 주려고 합니다. 나누어 줄 수 있는 사람 수와 남는 양을 구하세요.

15

> 끈 27.2 m를 한 사람에게 5 m씩 나누어 줄 때

사람 수 ☐ 명

남는 끈의 길이 ☐ m

16

> 물 16.4 L를 한 사람에게 8 L씩 나누어 줄 때

사람 수 ☐ 명

남는 물의 양 ☐ L

17

> 고구마 56.3 kg를 한 사람에게 4 kg씩 나누어 줄 때

사람 수 ☐ 명

남는 고구마의 양 ☐ kg

2

소수의 나눗셈

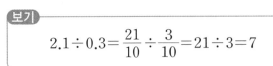

01 보기와 같이 분수의 나눗셈으로 계산해 보세요.

> **보기**
>
> $$2.1 \div 0.3 = \frac{21}{10} \div \frac{3}{10} = 21 \div 3 = 7$$

$7.2 \div 0.4$

Tip

· 소수 한 자리 수는 분모가 10인 분수로 바꾸어 계산할 수 있습니다.

02 설명을 읽고 □ 안에 알맞은 수를 써넣으세요.

철사 5.28 m를 0.03 m씩 자르려고 합니다.

5.28 m = □ cm, 0.03 m = 3 cm입니다.

철사 5.28 m를 0.03 m씩 자르는 것은

철사 □ cm를 3 cm씩 자르는 것과 같습니다.

$$5.28 \div 0.03 = \boxed{} \div 3$$

$$\boxed{} \div 3 = \boxed{}$$

$$5.28 \div 0.03 = \boxed{}$$

> 1 m = 100 cm
> ⇨ 0.01 m = 1 cm임을
> 기억해요.

03 □ 안에 알맞은 수를 써넣으세요.

(1) $3.78 \div 0.27 = 378 \div \boxed{} = \boxed{}$

(2) $5.25 \div 0.35 = \boxed{} \div 35 = \boxed{}$

· 나누는 수와 나누어지는 수에 같은 수를 곱하여 (자연수)÷(자연수)로 계산합니다.

04 □ 안에 알맞은 수를 써넣으세요.

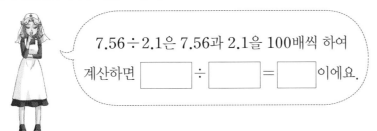

7.56÷2.1은 7.56과 2.1을 100배씩 하여 계산하면 □ ÷ □ = □ 이에요.

Tip

• 소수 한 자리 수를 100배 하면 가장 마지막 수 끝에 0을 적어야 합니다.

예) 4.7
　↓100배
　470

05 큰 수를 작은 수로 나눈 몫을 빈칸에 써넣으세요.

(1)

3.2	19.2

(2)

1.87	0.11

2

소수의 나눗셈

06 빈칸에 알맞은 수를 써넣으세요.

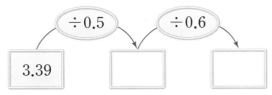

÷0.5　　÷0.6

3.39 □ □

자릿수가 다른 (소수)÷(소수)는 나누는 수와 나누어지는 수의 소수점을 똑같이 옮겨서 계산해요.

07 계산 결과를 비교하여 ◯ 안에 >, =, <를 알맞게 써넣으세요.

1.86÷0.6 　◯　 2.72÷1.7

08 계산해 보세요.

(1)
$$3.5\overline{)2\ 1}$$

(2)
$$2.14\overline{)1\ 0\ 7}$$

Tip

21＝21.0으로 107＝107.0으로 생각하고 소수점을 알맞게 옮겨요.

09 14÷9의 몫을 반올림하여 나타내어 보세요.

(1) 14÷9의 몫을 반올림하여 자연수로 나타내어 보세요.

(   )

(2) 14÷9의 몫을 반올림하여 소수 첫째 자리까지 나타내어 보세요.

(   )

(3) 14÷9의 몫을 반올림하여 소수 둘째 자리까지 나타내어 보세요.

(   )

• 반올림은 구하려는 자리 바로 아래 자리의 숫자가 0, 1, 2, 3, 4이면 버리고, 5, 6, 7, 8, 9이면 올려서 어림하는 방법 입니다.

10 계산 결과를 비교하여 ◯ 안에 >, =, <를 알맞게 써넣으세요.

| 37÷11의 몫을 반올림하여 자연수로 나타낸 수 | | 37÷11 |

11 쌀 21.3 kg을 한 봉지에 7 kg씩 나누어 담으려고 합니다. 나누어 담을 수 있는 봉지 수와 남는 쌀은 몇 kg인지 알기 위해 다음과 같이 계산했습니다. 물음에 답하세요.

$$21.3 - 7 - 7 - 7 = \boxed{}$$

(1) ☐ 안에 알맞은 수를 구하세요.

(   )

(2) 나누어 담을 수 있는 봉지 수와 남는 쌀의 양을 알아보기 위해 다음과 같이 계산했습니다. ☐ 안에 알맞은 수를 써넣으세요.

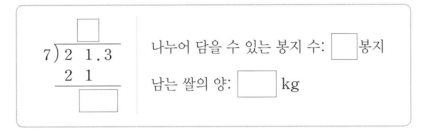

나누어 담을 수 있는 봉지 수: ☐ 봉지

남는 쌀의 양: ☐ kg

Tip

• 나머지의 소수점은 나누어지는 수의 소수점과 같은 자리에 찍습니다.

예
$$\begin{array}{r} 4 \leftarrow \text{몫} \\ 2\overline{)8.1} \\ 8 \\ \hline 0.1 \leftarrow \text{나머지} \end{array}$$

2

소수의 나눗셈

소수점을 옮겨서 계산한 경우, 몫의 소수점은 옮긴 위치에 찍어야 해요.

12 잘못 계산한 곳을 찾아 바르게 계산해 보세요.

$$\begin{array}{r} 0.6\,7 \\ 0.5\overline{)3.3\,5} \\ 3\ 0 \\ \hline 3\ 5 \\ 3\ 5 \\ \hline 0 \end{array}$$

⇒

$$0.5\overline{)3.3\,5}$$

13 물 10.4 L가 있습니다. 물을 물통 한 개에 0.4 L씩 담는다면 물통 몇 개가 필요할까요?

• (필요한 물통의 수)
  = (전체 물의 양)
    ÷ (물통 한 개에 담는 물의 양)

식

답

[01~02] ☐ 안에 알맞은 수를 써넣으세요.

01 $2.7 \div 0.3 = \dfrac{27}{10} \div \dfrac{\boxed{}}{10}$

$\qquad = \boxed{} \div \boxed{}$

$\qquad = \boxed{}$

02 $7.56 \div 0.84 = \dfrac{756}{100} \div \dfrac{\boxed{}}{100}$

$\qquad = \boxed{} \div \boxed{}$

$\qquad = \boxed{}$

[03~04] ☐ 안에 알맞은 수를 써넣으세요.

03 $3.36 \div 0.08 = \boxed{}$

$33.6 \div 0.08 = \boxed{}$

$336 \div 0.08 = \boxed{}$

04 $56 \div 8 = 7$

$56 \div 0.8 = \boxed{}$

$56 \div 0.08 = \boxed{}$

[05~06] 자연수의 나눗셈을 이용하여 계산하려고 합니다. ☐ 안에 알맞은 수를 써넣으세요.

05 10배$\left(\begin{array}{c}43.2 \div 0.6\end{array}\right)$10배

$\boxed{} \div \boxed{} = \boxed{}$

$43.2 \div 0.6 = \boxed{}$

06 100배$\left(\begin{array}{c}5.95 \div 1.7\end{array}\right)\boxed{}$배

$595 \div 170 = \boxed{}$

$5.95 \div 1.7 = \boxed{}$

[07~11] 계산해 보세요.

07 $9.5 \overline{)1\,9}$

08

$1.2\overline{)7.2}$

09

$2.7\overline{)1\ 6.2}$

10

$0.12\overline{)1.6\ 8}$

11

$0.6\overline{)3.9\ 6}$

12 빈칸에 알맞은 수를 써넣으세요.

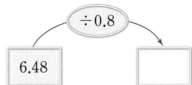

6.48 ÷0.8

[13~14] 계산 결과를 비교하여 ◯ 안에 >, =, < 를 알맞게 써넣으세요.

13 $5.76 \div 4.8$ ◯ $5.18 \div 3.7$

14 $7.68 \div 2.4$ ◯ $11.16 \div 3.6$

2

소수의 나눗셈

15 큰 수를 작은 수로 나눈 몫을 빈칸에 써넣으세요.

5.18	2.8

16 보기와 같이 분수의 나눗셈으로 계산해 보세요.

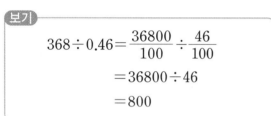

보기

$$368 \div 0.46 = \frac{36800}{100} \div \frac{46}{100}$$
$$= 36800 \div 46$$
$$= 800$$

$377 \div 0.29$

17 빈칸에 알맞은 수를 써넣으세요.

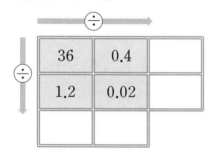

36	0.4	
1.2	0.02	

18 8을 6으로 나눈 몫을 반올림하여 소수 둘째 자리 까지 나타내어 보세요.

( )

19 빵 1개를 만드는 데 소금 3.5 g이 필요합니다. 소금 28 g으로 빵을 몇 개 만들 수 있는지 구하 세요.

( )

20 고구마 8.7 kg을 한 상자에 2 kg씩 담으려고 합니다. 몇 상자에 담을 수 있고, 남는 고구마는 몇 kg인지 구하세요.

상자 수 ( )

남는 고구마의 양 ( )

스스로 학습장

스스로 학습장은 이 단원에서 배운 것을 확인하는 코너입니다.
몰랐던 것은 꼭 다시 공부해서 내 것으로 만들어 보아요.

• 스피드 정답표 5쪽, 정답 26쪽

✷ 6학년 나천재 친구가 본 쪽지시험입니다. 맞은 문제는 ◯표, 틀린 문제는 ╱표 하고 바르게 고쳐 보세요.

쪽지시험	___6___ 학년 ___1___ 반 __10__ 번 이름 _____나천재_____

✷ [1~9] 계산해 보세요.

1 ◯

$$0.6 \overline{)87.6} \quad 146$$

```
        1 4 6
0.6 ) 8 7.6
      6
      2 7
      2 4
        3 6
        3 6
          0
```

2 ╱

```
          0.9
1.7 ) 1 5.3
      1 5 3
          0
```

3

```
          2 7 3
0.03 ) 8.1 9
       6
       2 1
       2 1
          9
          9
          0
```

4

```
          1 8
0.8 ) 1 4 4
      8
      6 4
      6 4
        0
```

5

```
          0.8
2.3 ) 1 8.4
      1 8 4
          0
```

6

```
          4.3
0.5 ) 2.1 5
      2 0
        1 5
        1 5
          0
```

7

```
          4 0
1.7 ) 6 8
      6 8
        0
```

8

```
            1 2
0.39 ) 4.6 8
       3 9
       7 8
       7 8
         0
```

9

```
          4.2
1.2 ) 5.0 4
      4 8
        2 4
        2 4
          0
```

3

공간과 입체

QR 코드를 찍으면
3단원 개념 동영상
강의를 볼 수 있어요.

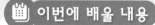

📖 이번에 배울 내용

- 어느 방향에서 본 것인지 알아보기
- 위에서 본 모양을 보고 쌓기나무의 개수 알아보기
- 쌓기나무로 쌓은 모양을 보고 위, 앞, 옆에서 본 모양 그리기
- 위에서 본 모양에 수를 쓰는 방법으로 쌓은 모양과 쌓기나무의 개수 구하기
- 층별로 나타낸 모양을 보고 쌓기나무의 개수 구하기
- 여러 가지 모양 만들기

첫, 넌 얼마나 큰 물고기를 잡나 보자.

걱정 마세요!

짜안~ 오늘 여기에 가득 잡을 거니깨!

그건 내 간식 박스잖아!

거기에 있던 간식을 다 먹은 거야? ㅠㅠ

진료실에 놓고 왔죠.

그 박스의 부피가 1 m³인데 물고기를 가득 채우겠다니……. 꿈이 크구나?

1 m³?

한 모서리의 길이가 1 m인 정육면체의 부피를 1 m³라고 해.

1 m
1 m
1 m

1 m³
1 세제곱미터

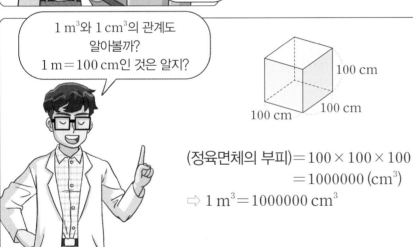

1 m³와 1 cm³의 관계도 알아볼까? 1 m＝100 cm인 것은 알지?

100 cm
100 cm
100 cm

(정육면체의 부피)＝$100 \times 100 \times 100$
＝1000000 (cm³)
⇨ 1 m³＝1000000 cm³

아해! 1 m³와 1000000 cm³는 같네요.

맞아!

드디어 물었어요!

팽
팽

최악

정말 큰 놈이 걸렸나?

큰 놈이긴 하네.

또 쓰레기네……. 바다에 쓰레기를 버리면 안 된다는 걸 다시 한번 알았어요.

1 다음 중 쌓기나무 5개로 만들 수 있는 모양이 <u>아닌</u> 것은 어느 것일까요? ·· (   )

①

②

③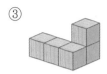

④

⑤

> **개념 체크 ①** ◀ 2학년 1학기 2단원
>
> **쌓기나무로 여러 가지 모양 만들기**
> 쌓기나무 5개로 서로 다른 모양을 만들 수 있습니다.

2 미현이와 호진이는 다음과 같은 모양을 만들었습니다. 두 사람이 사용한 쌓기나무는 모두 몇 개일까요?

미현   호진

(   )

> **개념 체크 ②** ◀ 2학년 1학기 2단원
>
> **똑같은 모양으로 쌓기**
> 쌓기나무로 만든 모양을 보고 똑같은 모양으로 쌓기 위해 필요한 쌓기나무는 몇 개인지 구합니다.

3 정육면체의 전개도를 접었을 때 면 ㉣와 만나지 <u>않는</u> 면을 찾아 써 보세요.

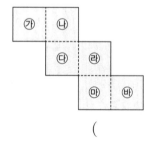

(   )

> **개념 체크 ③** ◀ 5학년 2학기 5단원
>
> **정육면체의 전개도**
> 전개도를 접어서 정육면체를 만들었을 때 서로 마주 보는 면은 만나지 않고 평행합니다.

• 스피드 정답표 6쪽, 정답 27쪽 ◯ 월 ◯ 일

4 직육면체의 겨냥도에서 보이지 않는 모서리의 길이의 합은 몇 cm인지 구하세요.

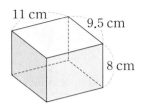

(   )

개념 체크 **4** ◀ 5학년 2학기 5단원

직육면체의 겨냥도

직육면체의 겨냥도에서 보이지 않는 모서리는 점선으로 그립니다.

5 정육면체의 부피는 몇 cm³인지 구하세요.

(   )

개념 체크 **5** ◀ 6학년 1학기 6단원

정육면체의 부피

(정육면체의 부피)
=(한 모서리의 길이)×(한 모서리의 길이)
   ×(한 모서리의 길이)

6 직육면체의 겉넓이는 몇 cm²인지 구하세요.

(   )

개념 체크 **6** ◀ 6학년 1학기 6단원

직육면체의 겉넓이

(직육면체의 겉넓이)
=(한 꼭짓점에서 만나는 세 면의 넓이의 합)×2
=(㉠+㉡+㉢)×2

7 직육면체의 부피는 몇 m³인지 구하세요.

(   )

개념 체크 **7** ◀ 6학년 1학기 6단원

m³ 알아보기

한 모서리의 길이가 1 m인 정육면체의 부피를 1 m³이라고 합니다.

$$1 \text{ m}^3 = 1000000 \text{ cm}^3$$

3

공간과 입체

그곳은 물고기가 잘 안 잡히는 곳이에요.

어쩐지~. 내 실력으로 물고기를 못 잡을 리가 없지.

맞아요. 저도 그렇게 생각해요.

여기서 보니 저 앞에 있는 섬은 온유 너의 엉덩이처럼 보이네.

제가 서 있는 곳에서 보면 다르게 보여요.

보는 위치와 방향에 따라 보이는 모습이 다르지.

온유가 본 섬의 모습

기태가 본 섬의 모습

장소를 옮겨야겠어요.

그러자.

팽

팽

물었다!

촤악

와우~! 크다!

파닥

파닥

나도 물었다!

와~ 잡았다!

예~ 또 잡았다!

◎ 어느 방향에서 본 것인지 알아보기

실생활 속의 물체를 보고 어느 방향에서 본 것인지 알아보기

보는 위치와 방향에 따라 보이는 모습이 달라요.

각 사진은 다음 방향에서 찍은 것입니다.

〈위〉

〈① 〉

〈오른쪽〉

〈왼쪽〉

○ 정답 ① 앞

[1~3] 어느 방향에서 찍은 사진인지 기호를 써 보세요.

1

(   )

2

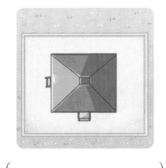

(   )

3

(   )

이렇게 많이 잡다니!

이게 다 자리를 옮긴 제 덕분이라고요.

어서 와요!

네!

이 상자들은 뭐죠?

육지에서 온 약품이에요.

온유야, 너 뭐해?

상자가 몇 개인지 세어 보는 거예요.

그런데 쌓인 개수를 잘 모르겠어요.

방법이 있지~.

아해! 그런 방법이 있었네요.

쌓은 모양과 위에서 본 모양을 보면 쌓기나무의 뒤에 숨겨진 것이 있는지 없는지 알 수 있단다.

똑같은 모양으로 쌓는 데 필요한 쌓기나무는 10개입니다.

위에서 본 모양

↳ 뒤에 숨겨진 쌓기나무가 없습니다.

옮기는 거 도와줄게요.

정말요?

뜨악

왜 그러세요?

갑자기 허리가……

토닥 토닥

꾀병 부리시는 거 아니죠?

◎ 쌓기나무로 쌓은 모양과 위에서 본 모양을 보고 쌓기나무의 개수 알아보기

똑같은 모양으로 쌓는 데 필요한 쌓기나무의 개수

위에서 본 모양

위에서 본 모양을 보고 뒤에 숨겨진 쌓기나무가 없다는 것을 알 수 있어요.

똑같은 모양으로 쌓는 데 필요한 쌓기나무는 ❶ ☐ 개입니다.

◯ 정답 ❶ 10

[1~4] 주어진 모양과 똑같이 쌓는 데 필요한 쌓기나무의 개수를 구하세요.

1

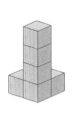

위에서 본 모양

(   )

2

위에서 본 모양

(   )

3

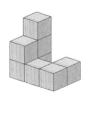

위에서 본 모양

(   )

4

위에서 본 모양

(   )

3

공간과 입체

교과서 개념 · 위, 앞, 옆에서 본 모양은 어떻게 그리나요?

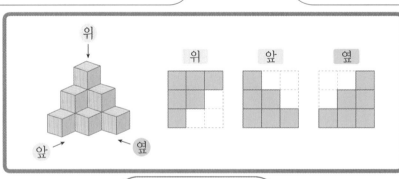

◎ 위, 앞, 옆에서 본 모양 그리기

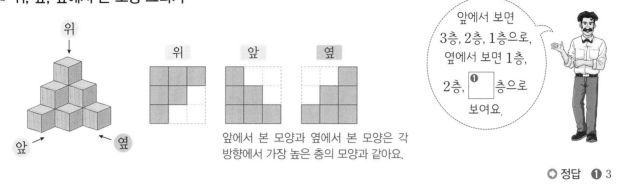

앞에서 본 모양과 옆에서 본 모양은 각 방향에서 가장 높은 층의 모양과 같아요.

앞에서 보면 3층, 2층, 1층으로, 옆에서 보면 1층, 2층, ❶   층으로 보여요.

◆ 정답 ❶ 3

1 쌓기나무 6개로 오른쪽과 같이 쌓았습니다. 위, 앞, 옆에서 본 모양을 알아보세요.

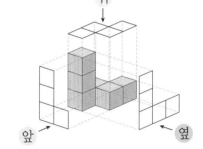

(1) 위에서 보면 [   ]개가 보입니다.

(2) 앞에서 보면 왼쪽은 [   ]층, 오른쪽은 [   ]층으로 보입니다.

(3) 옆에서 보면 왼쪽은 [   ]층, 가운데와 오른쪽은 각각 [   ]층으로 보입니다.

(4) 위, 앞, 옆에서 본 모양을 각각 그려 보세요.

위   앞   옆

2 쌓기나무 7개로 쌓은 모양을 보고 위, 앞, 옆에서 본 모양을 각각 그려 보세요.

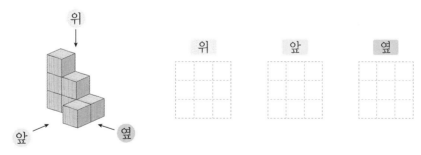

위   앞   옆

3 쌓기나무로 쌓은 모양을 보고 위, 앞, 옆에서 본 모양을 각각 그려 보세요.

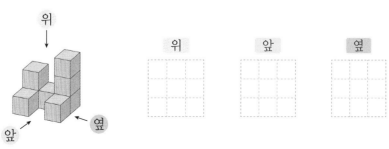

위   앞   옆

3

공간과 입체

어느 방향에서 본 것인지 알아보기

[01~02] 누가 찍은 사진인지 써 보세요.

은주

하진

01

(   )

02

(   )

위에서 본 모양을 보고 쌓기나무의 개수 구하기

[03~08] 주어진 모양과 똑같이 쌓는 데 필요한 쌓기나무의 개수를 구하세요.

03

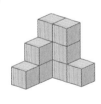

위에서 본 모양

(   )

04

위에서 본 모양

(   )

05

위에서 본 모양

(   )

06

위에서 본 모양

(   )

07

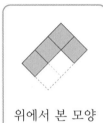

위에서 본 모양

(   )

08

위에서 본 모양

(   )

위, 앞, 옆에서 본 모양 그리기

09 쌓기나무 9개로 쌓은 모양을 보고 위, 앞, 옆에서 본 모양을 각각 그려 보세요.

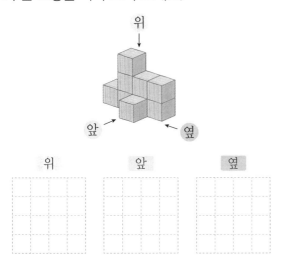

위　　　　　앞　　　　　옆

11 쌓기나무 7개로 쌓은 모양을 보고 위, 앞, 옆에서 본 모양을 각각 그려 보세요.

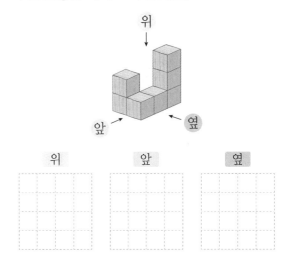

위　　　　　앞　　　　　옆

10 쌓기나무 8개로 쌓은 모양을 보고 위, 앞, 옆에서 본 모양을 각각 그려 보세요.

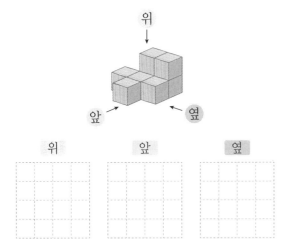

위　　　　　앞　　　　　옆

12 쌓기나무 8개로 쌓은 모양을 보고 위, 앞, 옆에서 본 모양을 각각 그려 보세요.

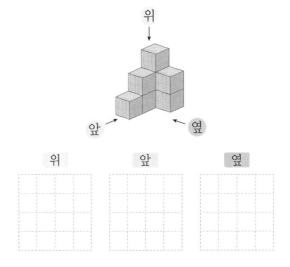

위　　　　　앞　　　　　옆

3

공간과 입체

맞다!

박사님, 궁금한 게 있어요.

뭔데?

상자들의 위, 앞, 옆에서 본 모양을 보고 상자의 개수를 구할 수 있어요?

기특해!

오호~ 질문을 하다니.

위, 앞, 옆에서 본 모양이 다음과 같을 때 쌓기나무의 개수를 알아볼까?

위	앞	옆

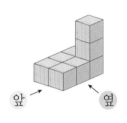

쌓은 모양이 다음과 같으니까 8개지.

위, 앞, 옆에서 본 모양을 보고 쌓은 모양을 만들면 오른쪽과 같고 이때 필요한 쌓기나무는 8개입니다.

앞 ← → 옆

온유가 열심히 하는구나.

슥 슥

저 쪽에 있는 상자는 제가 옮길게요.

그럴래?

으쌰~ 어디 한번 힘을 써볼까?

으쌰

하 압

상자가 왜 이렇게 무겁지?

꽈 당

펑

큭 큭

가벼운 줄 알았는데…….

◎ 위, 앞, 옆(오른쪽)에서 본 모양을 보고 쌓은 모양과 개수 알아보기

위   앞   옆

쌓은 모양을 만들면 오른쪽과 같습니다.

이때 필요한 쌓기나무는 ❶☐개입니다.

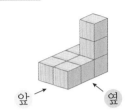

앞, 옆에서 본 모양을 보고 각 자리에 쌓은 쌓기나무의 개수를 알 수 있어요.

◆ 정답 ❶ 8

[1~2] 쌓기나무로 쌓은 모양을 위, 앞, 옆(오른쪽)에서 본 모양입니다. 물음에 답하세요.

위   앞   옆

옆에서 본 모양은 오른쪽 옆에서 본 모양이에요.

1 쌓은 모양을 찾아 ◯표 하세요.

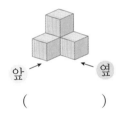   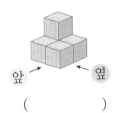

(   )   (   )

2 똑같은 모양으로 쌓는 데 필요한 쌓기나무는 몇 개일까요? (   )

[3~4] 쌓기나무로 쌓은 모양을 위, 앞, 옆(오른쪽)에서 본 모양입니다. 물음에 답하세요.

위   앞   옆

3 쌓은 모양을 찾아 ◯표 하세요.

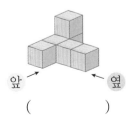   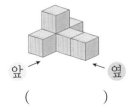

(   )   (   )

4 똑같은 모양으로 쌓는 데 필요한 쌓기나무는 몇 개일까요? (   )

3

공간과 입체

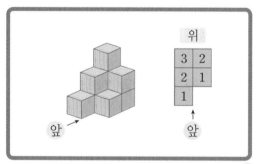

◎ 위에서 본 모양에 수를 쓰는 방법으로 쌓기나무의 개수 알아보기

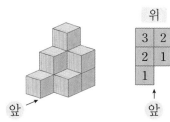

필요한 쌓기나무의 개수는 위에서 본 모양에 적은 수를 모두 더해요.

위에서 본 모양의 각 자리에 쌓은 쌓기나무의 개수를 씁니다.

⇨ 똑같은 모양으로 쌓는 데 필요한 쌓기나무는 $3+2+2+1+1=$ ⬛ (개)입니다.

○ 정답 ❶ 9

[1~2] 위에서 본 모양에 수를 쓴 것을 보고 쌓은 모양과 쌓기나무의 개수를 알아보려고 합니다. 물음에 답하세요.

1

(1) 똑같은 모양으로 쌓는 데 필요한 쌓기나무는 몇 개일까요?

(   )

(2) 앞과 옆에서 본 모양을 각각 그려 보세요.

앞   옆

2

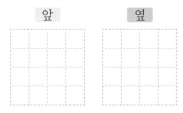

(1) 똑같은 모양으로 쌓는 데 필요한 쌓기나무는 몇 개일까요?

(   )

(2) 앞과 옆에서 본 모양을 각각 그려 보세요.

앞   옆

위, 앞, 옆에서 본 모양을 보고 쌓기나무의 개수 구하기

[01~07] 위, 앞, 옆(오른쪽)에서 본 모양이 다음과 같을 때, 똑같은 모양으로 쌓는 데 필요한 쌓기나무의 개수를 구하세요.

01   위   앞   옆

(   )

02   위   앞   옆

(   )

03   위   앞   옆

(   )

04   위   앞   옆

(   )

05   위   앞   옆

(   )

06   위   앞   옆

(   )

07   위   앞   옆

(   )

위에서 본 모양에 수를 써서 쌓기나무의 개수 구하기

[08~11] 쌓기나무로 쌓은 모양을 보고 위에서 본 모양에 수를 썼습니다. 물음에 답하세요.

08

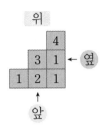

(1) 똑같은 모양으로 쌓는 데 필요한 쌓기나무는 몇 개일까요?

(　)

(2) 앞과 옆에서 본 모양을 각각 그려 보세요.

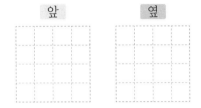

09

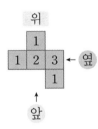

(1) 똑같은 모양으로 쌓는 데 필요한 쌓기나무는 몇 개일까요?

(　)

(2) 앞과 옆에서 본 모양을 각각 그려 보세요.

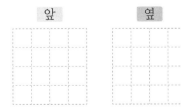

10

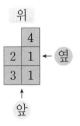

(1) 똑같은 모양으로 쌓는 데 필요한 쌓기나무는 몇 개일까요?

(　)

(2) 앞과 옆에서 본 모양을 각각 그려 보세요.

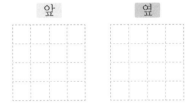

11

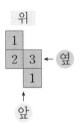

(1) 똑같은 모양으로 쌓는 데 필요한 쌓기나무는 몇 개일까요?

(　)

(2) 앞과 옆에서 본 모양을 각각 그려 보세요.

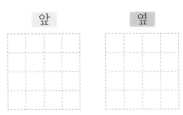

3 공간과 입체

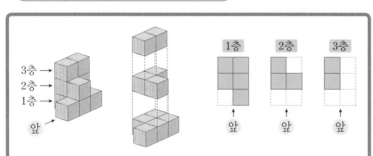

◎ 층별로 나타낸 모양을 보고 쌓은 모양과 개수 알아보기

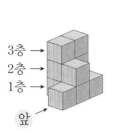
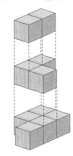
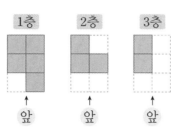

층별로 나타낸 모양을 보고 쌓은 모양을 알 수 있어요.

1층에 [❶] 개, 2층에 3개, 3층에 [❷] 개를 쌓았습니다.

➡ 정답 ❶ 5 ❷ 2

[1~4] 층별로 나타낸 모양을 보고 쌓은 모양과 쌓기나무의 개수를 알아보세요.

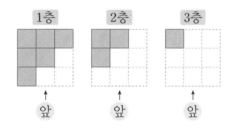

1 쌓은 모양에 ○표 하세요.

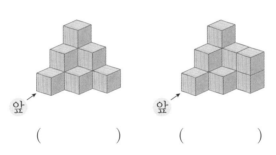

(   )   (   )

2 각 층에 쌓은 쌓기나무는 몇 개일까요?

1층 (   ), 2층 (   ), 3층 (   )

3 똑같은 모양으로 쌓는 데 필요한 쌓기나무는 몇 개일까요? (   )

4 위, 앞, 옆(오른쪽)에서 본 모양을 각각 그려 보세요.

위에서 본 모양과 1층에 쌓은 모양은 같아요.

위   앞   옆

5 오른쪽은 쌓기나무로 쌓은 모양을 층별로 나타낸 모양입니다.
똑같은 모양으로 쌓는 데 필요한 쌓기나무는 몇 개인지 구하세요.

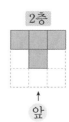
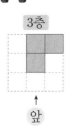

(   )

3 공간과 입체

교과서 개념 여러 가지 모양을 어떻게 만드나요?

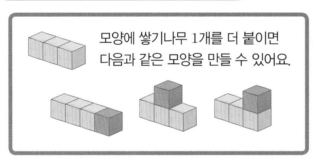

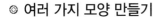
개념 클릭

◎ 여러 가지 모양 만들기

쌀기나무 4개로 만들 수 있는 모양

· 모양에 쌀기나무 1개를 더 붙이기

· 모양에 쌀기나무 1개를 더 붙이기

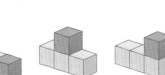

쌀기나무로 만든 모양을 뒤집거나 돌려서 모양이 같으면 같은 모양이에요.

⇨ 쌀기나무 4개로 만들 수 있는 모양은 같은 모양을 제외하면 3+5=❶ ☐ (가지)입니다.

◎ 정답 ❶ 8

1 모양에 쌀기나무 1개를 더 붙여서 만들 수 있는 모양을 모두 찾아 ◯표 하세요.

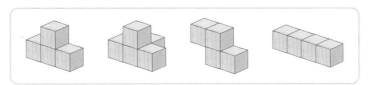

[2~3] 쌀기나무를 4개씩 붙여서 만든 두 가지 모양이 있습니다. 이 두 모양을 사용하여 만든 모양을 보고 어떻게 만들었는지 구분하여 색칠해 보세요.

2 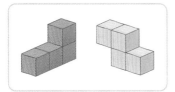 ⇨

쌀기나무로 모양을 만들 때 쌀기나무끼리 붙여서 뒤집거나 돌려도 떨어지지 않아요.

3

공간과 입체

3 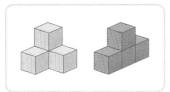 ⇨

층별로 나타낸 모양을 보고 쌓기나무의 개수 구하기

[01~04] 층별로 나타낸 모양을 보고 물음에 답하세요.

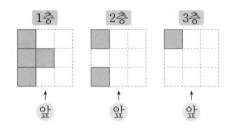

01 각 층에 쌓은 쌓기나무는 몇 개일까요?

1층 (   )

2층 (   )

3층 (   )

02 똑같은 모양으로 쌓는 데 필요한 쌓기나무는 몇 개일까요?

(   )

03 쌓은 모양으로 알맞은 것에 ○표 하세요.

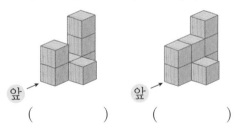

(   )   (   )

04 쌓은 모양을 위, 앞, 옆(오른쪽)에서 본 모양을 각각 그려 보세요.

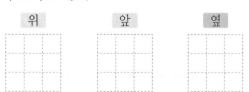

[05~08] 층별로 나타낸 모양을 보고 물음에 답하세요.

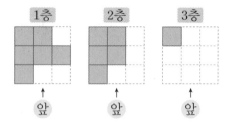

05 각 층에 쌓은 쌓기나무는 몇 개일까요?

1층 (   )

2층 (   )

3층 (   )

06 똑같은 모양으로 쌓는 데 필요한 쌓기나무는 몇 개일까요?

(   )

07 쌓은 모양으로 알맞은 것에 ○표 하세요.

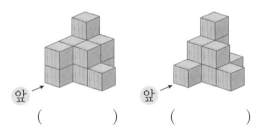

(   )   (   )

08 쌓은 모양을 위, 앞, 옆(오른쪽)에서 본 모양을 각각 그려 보세요.

[09~12] 층별로 나타낸 모양을 보고 물음에 답하세요.

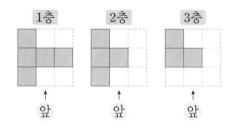

1층   2층   3층

↑   ↑   ↑
앞   앞   앞

09 각 층에 쌓은 쌓기나무는 몇 개일까요?

1층 (   )
2층 (   )
3층 (   )

10 똑같은 모양으로 쌓는 데 필요한 쌓기나무는 몇 개일까요?

(   )

11 쌓은 모양으로 알맞은 것에 ◯표 하세요.

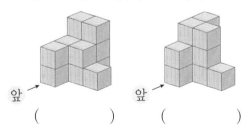

앞→   앞→
(　　　)   (　　　)

12 쌓은 모양을 위, 앞, 옆(오른쪽)에서 본 모양을 각각 그려 보세요.

위   앞   옆

여러 가지 모양 만들기

13 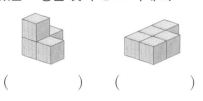 모양에 쌓기나무 1개를 더 붙여서 만들 수 있는 모양을 찾아 ◯표 하세요.

(　　　)   (　　　)

[14~15] 쌓기나무를 4개씩 붙여서 만든 두 가지 모양을 사용하여 만들 수 있는 모양을 찾아 ◯표 하세요.

14

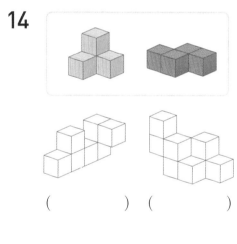

(　　　) (　　　)

15

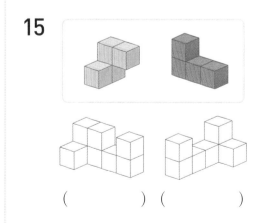

(　　　) (　　　)

3

공간과 입체

01 쌓기나무로 쌓은 모양을 보고 위에서 본 모양을 그렸습니다. 관계있는 것 끼리 이어 보세요.

· 위에서 본 모양은 1층에 쌓인 쌓기나무의 모양과 같습니다.

·　　　　　·　　　　　·

·　　　　　·　　　　　·

[02~03] 주어진 모양과 똑같이 쌓는 데 필요한 쌓기나무의 개수를 구하세요.

· 위에서 본 모양을 보고 숨겨진 쌓기나무가 있는지 없는지 확인합니다.

02

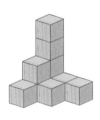

위에서 본 모양

(　　　　　　　　　)

03

위에서 본 모양

(　　　　　　　　　)

1층에 4개의 쌓기나무가 있어요.

04 쌓기나무로 쌓은 모양과 위에서 본 모양입니다. 앞과 옆에서 본 모양을 각각 그려 보세요.

(1)

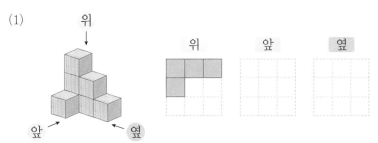

(2)

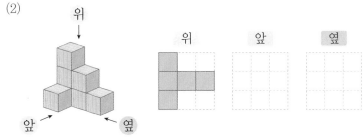

> (2)의 위에서 본 모양을 보면 숨겨진 쌓기나무가 있다는 것을 알 수 있어요.

05 쌓기나무로 쌓은 모양을 위, 앞, 옆(오른쪽)에서 본 모양입니다. 똑같은 모양으로 쌓는 데 필요한 쌓기나무의 개수를 구하세요.

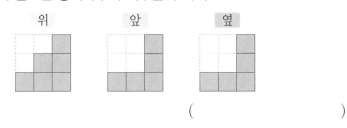

(   )

06 쌓기나무로 쌓은 모양을 보고 위에서 본 모양에 수를 썼습니다. 쌓기나무로 쌓은 모양을 앞에서 본 모양을 그려 보세요.

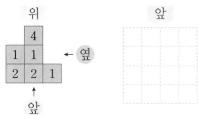

• 쌓기나무로 쌓은 모양은 다음과 같습니다.

3

공간과 입체

07 쌓기나무로 쌓은 모양을 위, 앞, 옆(오른쪽)에서 본 모양입니다. 똑같은 모양으로 쌓는 데 필요한 쌓기나무의 개수를 구하세요.

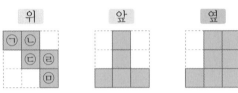

Tip

· 각 자리에 쌓인 쌓기나무의 수는 앞과 옆에서 본 모양을 보고 판단합니다.

· ㉠은 앞에서 본 모양을 보면 알 수 있습니다.

· ㉤은 옆에서 본 모양을 보면 알 수 있습니다.

(1) ㉠에 쌓인 쌓기나무는 몇 개일까요?

( )

(2) ㉣, ㉤에 쌓인 쌓기나무는 각각 몇 개일까요?

㉣ ( ), ㉤ ( )

(3) ㉡에 쌓인 쌓기나무는 몇 개일까요?

( )

(4) ㉢에 쌓인 쌓기나무는 몇 개일까요?

( )

(5) 똑같은 모양으로 쌓는 데 필요한 쌓기나무는 몇 개일까요?

( )

08 쌓기나무로 쌓은 모양을 보고 위에서 본 모양에 수를 썼습니다. 관계있는 것끼리 선으로 이어 보세요.

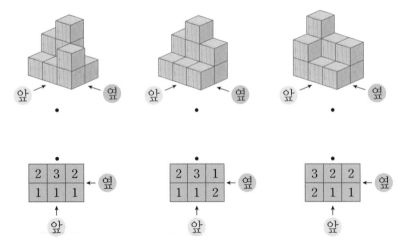

위에서 본 모양이 서로 같은 쌓기나무예요.

09 모양에 쌓기나무 1개를 붙여서 만들 수 있는 모양이 <u>아닌</u> 것을 찾아 기호를 쓰세요.

Tip

가 　　나 　　다 　　라

(　　　　　　)

10 쌓기나무 7개로 쌓은 모양을 보고 1층과 2층 모양을 각각 그려 보세요.

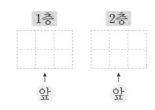

· 쌓기나무 7개로 쌓은 모양이므로 1층과 2층의 개수를 알 수 있습니다.

11 쌓기나무로 쌓은 모양을 층별로 나타낸 모양을 보고 쌓은 모양을 찾아 기호를 쓰세요.

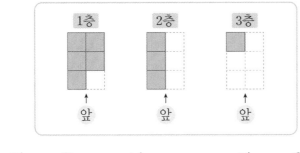

가 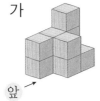　　나 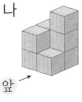　　다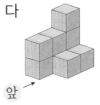

(　　　　　　)

먼저 1층 모양으로 가능한 것을 찾아봐요.

12 쌓기나무로 쌓은 모양을 층별로 나타낸 모양입니다. 위에서 본 모양에 수를 쓰는 방법으로 나타내고, 똑같은 모양으로 쌓는 데 필요한 쌓기나무의 개수를 구하세요.

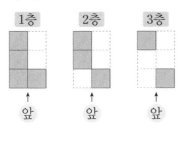 

(　　　　　　)

3

공간과 입체

단원 평가

[01~02] 주어진 모양과 똑같이 쌓는 데 필요한 쌓기나무 개수를 구하세요.

01

위에서 본 모양

(   )

02

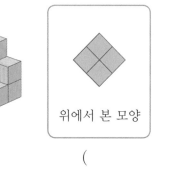

위에서 본 모양

(   )

03 쌓기나무로 쌓은 모양과 위에서 본 모양입니다. 앞과 옆에서 본 모양을 각각 그려 보세요.

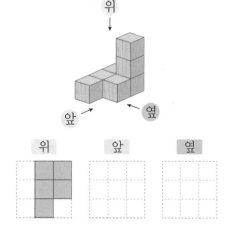

[04~05] 쌓기나무로 쌓은 모양을 보고 위에서 본 모양에 수를 써 보세요.

04

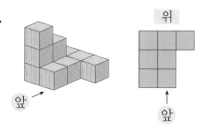

05

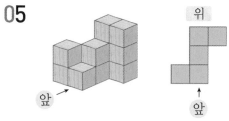

06 쌓기나무로 쌓은 모양을 보고 1층과 2층 모양을 각각 그려 보세요.

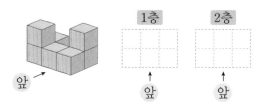

07 쌓기나무로 쌓은 모양과 1층 모양을 보고 2층과 3층 모양을 각각 그려 보세요.

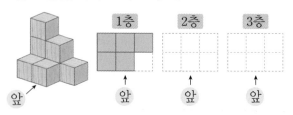

[08~11] 쌓기나무로 쌓은 모양을 위, 앞, 옆(오른쪽)에서 본 모양입니다. 똑같은 모양으로 쌓는 데 필요한 쌓기나무의 개수를 구하세요.

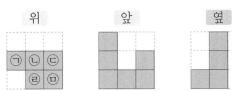

08 ㉠에 쌓인 쌓기나무는 몇 개일까요?

( )

09 ㉡, ㉣에 쌓은 쌓기나무는 각각 몇 개일까요?

㉡ ( )

㉣ ( )

10 ㉢, ㉤에 쌓은 쌓기나무는 각각 몇 개일까요?

㉢ ( )

㉤ ( )

11 똑같은 모양으로 쌓는 데 필요한 쌓기나무는 몇 개일까요?

( )

12 쌓기나무 12개로 쌓은 모양을 보고 위, 앞, 옆에서 본 모양을 각각 그려 보세요.

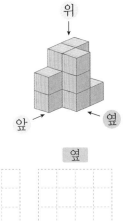

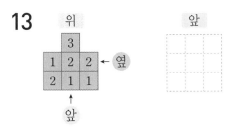

[13~14] 쌓기나무로 쌓은 모양을 보고 위에서 본 모양에 수를 썼습니다. 쌓기나무로 쌓았을 때 앞에서 본 모양을 그려 보세요.

13

위

앞

1 2 2 ← 옆

2 1 1

↑
앞

3 (위의 맨 윗줄)

14

위

앞

3 2 1

2 3

1

↑
앞

3

공간과 입체

15 쌓기나무로 쌓은 모양을 층별로 나타낸 모양입니다. 위에서 본 모양에 수를 쓰는 방법으로 나타내고, 똑같은 모양으로 쌓는 데 필요한 쌓기나무의 개수를 구하세요.

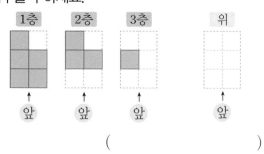

(   )

16 쌓기나무로 쌓은 모양을 층별로 나타낸 모양을 보고 앞에서 본 모양을 그려 보고, 똑같은 모양으로 쌓는 데 필요한 쌓기나무의 개수를 구하세요.

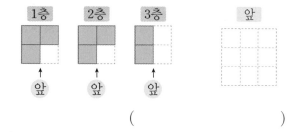

(   )

17 쌓기나무를 위, 앞, 옆(오른쪽)에서 본 모양을 보고 가능한 모양을 찾아 기호를 쓰세요.

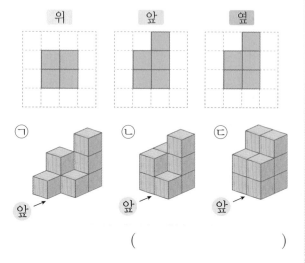

(   )

18 쌓기나무로 쌓은 모양을 보고 위에서 본 모양에 수를 썼습니다. 쌓기나무로 쌓은 모양을 찾아 기호를 쓰세요.

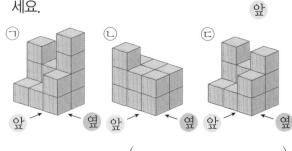

(   )

19 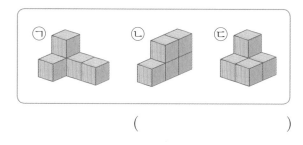 모양에 쌓기나무 1개를 더 붙여서 만들수 있는 모양을 모두 찾아 기호를 쓰세요.

(   )

20 쌓기나무를 4개씩 붙여서 만든 두 가지 모양을 사용하여 아래의 모양을 만들려고 합니다. 어떻게 만들었는지 구분하여 색칠해 보세요.

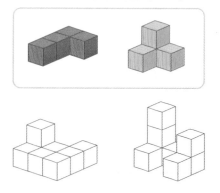

스스로 학습장

스스로 학습장은 이 단원에서 배운 것을 확인하는 코너입니다.
몰랐던 것은 꼭 다시 공부해서 내 것으로 만들어 보아요.

• 스피드 정답표 8쪽, 정답 31쪽

[1~2] 온유가 쌓기나무로 쌓은 모양과 위에서 본 모양입니다. 똑같은 모양으로 쌓는 데 필요한 쌓기나무의 개수를 구하세요.

1

위에서 본 모양

(   )

2

위에서 본 모양

(   )

3 쌓기나무로 쌓은 모양과 위에서 본 모양입니다. 앞과 옆에서 본 모양을 각각 그려 보세요.

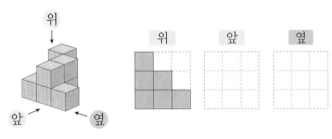

[4~5] 쌓기나무 8개로 쌓은 모양을 보고 위에서 본 모양에 수를 써 보세요.

4

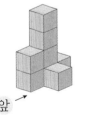

5

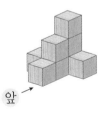 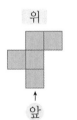

6 쌓기나무로 쌓은 모양과 1층 모양을 보고, 2층과 3층 모양을 각각 그려 보세요.

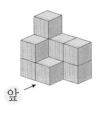 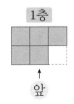 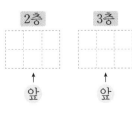

3

공간과 입체

4 비례식과 비례배분

QR 코드를 찍으면 4단원 개념 동영상 강의를 볼 수 있어요

📖 이번에 배울 내용

- 비의 성질 알아보기
- 간단한 자연수의 비로 나타내기
- 비례식 알아보기
- 비례식의 성질 알아보기
- 비례식 활용하기
- 비례배분 하기

라면 5개 중에 순한 맛이 3개 밖에 없는데…….

그럼 순한 맛과 매운맛의 비가 3 : 2네요.

비라구요?

비와 비율 기억 안 나?

두 수를 나눗셈으로 비교하기 위해 기호 : 을 사용하여 나타낸 것을 비라고 해. 또 기준량에 대한 비교하는 양의 크기를 비율이라고 하지.

$$(비) \ 3 : 2 \quad \Rightarrow \quad (비율) \ \frac{3}{2}$$

$$\frac{(비교하는 \ 양)}{(기준량)}$$

아~ 기억이 좀 나는 거 같아요.

하 하

매운맛과 순한 맛을 나누어 끓여요.

냄비가 하나 밖에 없어.

간식 살 돈으로 냄비를 하나 더 사지 그랬어요!

여럿이 먹을 줄 누가 알았어?!

배고프다고!

아…… 알겠어요!

좋은 생각이 떠올랐다.

뭔데요?

텅

다른 맛있는 요리를 하는 거예요.

하 하 하

[1~2] 예원이네 학교 6학년 학생들을 여학생 4명, 남학생 2명으로 한 모둠을 구성하려고 합니다. 표를 보고 물음에 답하세요.

모둠 수	1	2	3	4
여학생 수(명)	4	8	12	16
남학생 수(명)	2	4	6	8

1 모둠 수에 따른 여학생 수와 남학생 수를 뺄셈으로 비교해 보세요.

모둠 수에 따라 여학생은 남학생보다 2명, ☐명, ☐명, ☐명 …… 더 많습니다.

개념 체크 ① ◀ 6학년 1학기 4단원
두 수를 비교하기
뺄셈으로 비교할 수 있습니다.

2 모둠 수에 따른 여학생 수와 남학생 수를 나눗셈으로 비교해 보세요.

여학생 수는 남학생 수의 ☐배입니다.

개념 체크 ② ◀ 6학년 1학기 4단원
두 수를 비교하기
나눗셈으로 비교할 수 있습니다.

3 그림을 보고 ☐ 안에 알맞은 수를 써넣으세요.

(1) 오이 수와 당근 수의 비 ⇨ ☐ : ☐

(2) 오이의 당근 수에 대한 비 ⇨ ☐ : ☐

개념 체크 ③ ◀ 6학년 1학기 4단원
비
두 수를 나눗셈으로 비교하기 위해 기호 :을 사용하여 나타낸 것을 비라고 합니다.

• 스피드 정답표 9쪽, 정답 32쪽 ◯ 월 ◯ 일

4 □ 안에 알맞은 수를 써넣으세요.

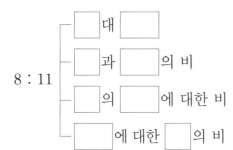

8 : 11 ┬ □ 대 □
├ □ 과 □ 의 비
├ □ 의 □ 에 대한 비
└ □ 에 대한 □ 의 비

5 비를 보고 기준량과 비교하는 양을 쓰세요.

6 : 10

기준량 ( )
비교하는 양 ( )

6 그림을 보고 감 수에 대한 사과 수의 비율을 분수와 소수로 각각 나타내어 보세요.

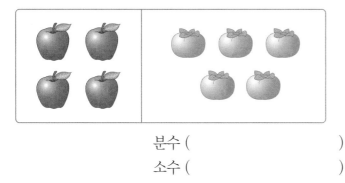

분수 ( )
소수 ( )

7 그림을 보고 전체에 대한 색칠한 부분의 비율을 백분율로 나타내어 보세요.

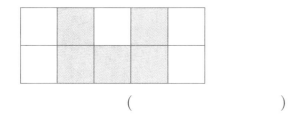

( )

개념 체크 4 ◀ 6학년 1학기 4단원

비 읽기

▲ : ● ┬ ▲ 대 ●
├ ▲ 와 ● 의 비
├ ▲ 의 ● 에 대한 비
└ ● 에 대한 ▲ 의 비

개념 체크 5 ◀ 6학년 1학기 4단원

기준량, 비교하는 양

7 : 9
비교하는 양 ↵   ↳ 기준량

개념 체크 6 ◀ 6학년 1학기 4단원

비율

기준량에 대한 비교하는 양의 크기를 비율이라고 합니다.

(비율)＝(비교하는 양)÷(기준량)

$$= \frac{(비교하는\ 양)}{(기준량)}$$

개념 체크 7 ◀ 6학년 1학기 4단원

백분율

기준량을 100으로 할 때의 비율을 백분율이라 하고 기호 %을 사용하여 나타냅니다.

4 비례식과 비례배분

비의 성질을 어떻게 알 수 있나요?

배가 너무 고파.

박사님 이쪽으로.

이거라도 먹고 있을까요?

?!

선생님의 간식이에요.

빵 6개, 딸기 15개가 있네.

너는 빵 2개, 딸기 5개, 나는 빵 4개, 딸기 10개.

왜 박사님이 2배씩 더 많아요?

자, 들어 봐.

비의 전항과 후항에 0이 아닌 같은 수를 곱하여도 비율은 같아.

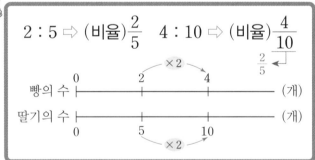

$$2 : 5 \Rightarrow (비율) \frac{2}{5} \qquad 4 : 10 \Rightarrow (비율) \frac{4}{10}$$

$\frac{2}{5}$

빵의 수 ├──────┼──────┼────── (개)
　　　　0　　　　2　　　　4

$\times 2$

딸기의 수 ├──────┼──────┼────── (개)
　　　　0　　　　5　　　　10

$\times 2$

2배씩 해도 비율이 같으니까 공평하게 나눈 거야.

이런 법이 어디 있어요?

먹기 싫으면 말고.

어, 빵이 사라졌어요!

두리번

두리번

먹기 싫어 하는 거 같아서.

아니라고!

쩝

쩝

쩝

◎ 전항과 후항

• 비 2 : 5에서 기호 ':' 앞에 있는 2를 전항, 뒤에 있는 5를 후항이라고 합니다.

◎ 비의 성질 알아보기

(비)2 : 5 ⇨ (비율)$\frac{2}{5}$, (비) 4 : 10 ⇨ (비율)$\frac{4}{10}$

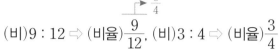

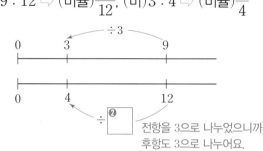

비의 전항과 후항에 0이 아닌 같은 수를 곱하여도 비율은 같습니다.

(비)9 : 12 ⇨ (비율)$\frac{9}{12}$, (비)3 : 4 ⇨ (비율)$\frac{3}{4}$

비의 전항과 후항을 0이 아닌 같은 수로 나누어도 비율은 같습니다.

◐ 정답 ❶ 2 ❷ 3

4

비례식과 비례배분

[1~2] 2 : 3과 6 : 9를 이용하여 비의 성질을 알아보려고 합니다. 물음에 답하세요.

1 두 비의 비율을 각각 기약분수로 나타내어 보세요.

(비) 2 : 3 ⇨ (비율) ☐   (비) 6 : 9 ⇨ (비율) ☐

2 수직선을 보고 ☐ 안에 알맞은 수를 써넣으세요.

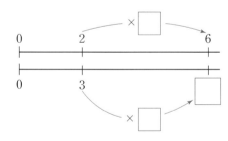

비 2 : 3은 전항과 후항에 3을 곱한 6 : 9와 비율이 같습니다.

[3~4] 35 : 56과 5 : 8을 이용하여 비의 성질을 알아보려고 합니다. 물음에 답하세요.

3 두 비의 비율을 각각 기약분수로 나타내어 보세요.

(비) 35 : 56 ⇨ (비율) ☐   (비) 5 : 8 ⇨ (비율) ☐

4 수직선을 보고 ☐ 안에 알맞은 수를 써넣으세요.

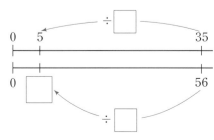

0.5 : 0.13의 전항과 후항에 각각 100을 곱하면 간단한 자연수의 비로 나타낼 수 있어.

$$\times 100$$
$$0.5 : 0.13 \qquad 50 : 13$$
$$\times 100$$

◎ 간단한 자연수의 비로 나타내기

• 소수의 비를 간단한 자연수의 비로 나타내기

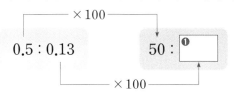

$0.5 : 0.13$ 　　 $50 : $ ❶

전항과 후항에 0이 아닌 같은 수를 곱해도 비율은 같다는 비의 성질을 이용해요

• 분수의 비를 간단한 자연수의 비로 나타내기

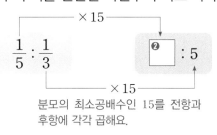

$\dfrac{1}{5} : \dfrac{1}{3}$ 　　 ❷ $: 5$

분모의 최소공배수인 15를 전항과 후항에 각각 곱해요.

○ 정답 ❶ 13 ❷ 3

4

비례식과 비례배분

[1~2] 비의 성질을 이용하여 간단한 자연수의 비로 나타내려고 합니다. □ 안에 알맞은 수를 써넣으세요.

1

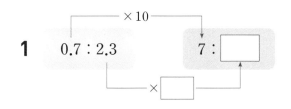

$0.7 : 2.3$ 　 $7 : \square$

2

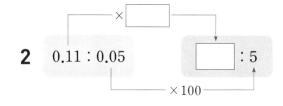

$0.11 : 0.05$ 　 $\square : 5$

[3~4] 분수의 비의 전항과 후항에 분모의 최소공배수를 곱하여 간단한 자연수의 비로 나타내어 보세요.

3

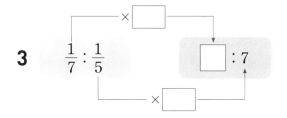

$\dfrac{1}{7} : \dfrac{1}{5}$ 　 $\square : 7$

4

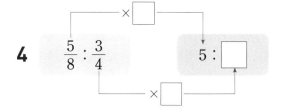

$\dfrac{5}{8} : \dfrac{3}{4}$ 　 $5 : \square$

[5~6] 자연수의 비의 전항과 후항을 두 수의 최대공약수로 나누어 간단한 자연수의 비로 나타내어 보세요.

5

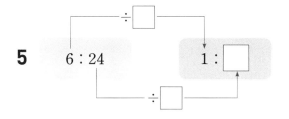

$6 : 24$ 　 $1 : \square$

6

$80 : 90$ 　 $\square : 9$

비의 성질 알아보기

[01~08] 비의 성질을 이용하여 주어진 비와 비율이 같은 비를 구하려고 합니다. □ 안에 알맞은 수를 써 넣으세요.

01
$$7 : 9 \quad \Rightarrow \quad 63 : \square$$
(×9 위, ×□ 아래)

02
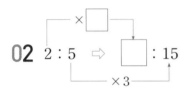
$$2 : 5 \quad \Rightarrow \quad \square : 15$$
(×□ 위, ×3 아래)

03
$$4 : 8 \quad \Rightarrow \quad \square : \square$$
(×4 위, ×□ 아래)

04
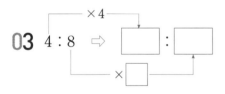
$$13 : 21 \quad \Rightarrow \quad \square : \square$$
(×□ 위, ×20 아래)

05
$$18 : 9 \quad \Rightarrow \quad 2 : \square$$
(÷9 위, ÷□ 아래)

06
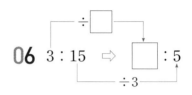
$$3 : 15 \quad \Rightarrow \quad \square : 5$$
(÷□ 위, ÷3 아래)

07
$$40 : 25 \quad \Rightarrow \quad \square : \square$$
(÷□ 위, ÷5 아래)

08
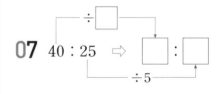
$$360 : 280 \quad \Rightarrow \quad \square : \square$$
(÷40 위, ÷□ 아래)

간단한 자연수의 비로 나타내기

[09~12] □ 안에 알맞은 수를 써넣어 간단한 자연수의 비로 나타내어 보세요.

09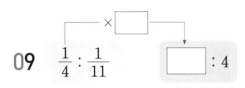
$\dfrac{1}{4} : \dfrac{1}{11}$ $\boxed{} : 4$

10
$1.9 : 3.5$ $19 : \boxed{}$

11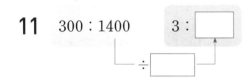
$300 : 1400$ $3 : \boxed{}$

12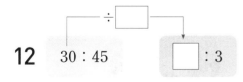
$30 : 45$ $\boxed{} : 3$

13 $0.7 : \dfrac{1}{5}$ 을 두 가지 방법으로 가장 간단한 자연수의 비로 나타내어 보세요.

> **방법 1** 후항을 소수로 바꾸어 가장 간단한 자연수의 비로 나타내기

$0.7 : \dfrac{1}{5}$ ⇨ $0.7 : \boxed{}$ ⇨ $\boxed{} : \boxed{}$

> **방법 2** 전항을 분수로 바꾸어 가장 간단한 자연수의 비로 나타내기

$0.7 : \dfrac{1}{5}$ ⇨ $\boxed{} : \dfrac{1}{5}$ ⇨ $\boxed{} : \boxed{}$

4
비례식과 비례배분

[14~16] 가장 간단한 자연수의 비로 나타내어 보세요.

14 $64 : 40$

(　　　　　　　)

15 $\dfrac{1}{3} : \dfrac{7}{12}$

(　　　　　　　)

16 $\dfrac{3}{4} : 0.9$

(　　　　　　　)

교과서 개념

비례식을 어떻게 알 수 있나요?

비율이 같은 두 비를 기호 '＝'를 사용하여
5 : 8＝10 : 16과 같이 나타낸 식을 비례식이라고 해.

$$5 : 8 = 10 : 16$$

외항

내항

바깥쪽에 있는 5와 16을 외항 안쪽에 있는 8과 10을 내항이라고 합니다.

◎ 비례식 알아보기

• 비례식: 비율이 같은 두 비를 기호 '='를 사용하여

5 : 8 = 10 : 16과 같이 나타낸 식

외항
5 : 8 = 10 : 16
내항

바깥쪽에 있는 5와 16을 외항, 안쪽에 있는 8과 10을

❶   이라 합니다.

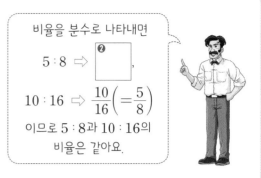

비율을 분수로 나타내면

$5 : 8 \Rightarrow$ **❷**   ,

$10 : 16 \Rightarrow \dfrac{10}{16}\left(=\dfrac{5}{8}\right)$

이므로 5 : 8과 10 : 16의 비율은 같아요.

◐ 정답 ❶ 내항 ❷ $\dfrac{5}{8}$

4

비례식과 비례배분

[1~2] 주어진 비를 보고 물음에 답하세요.

1 각 비의 비율을 기약분수로 나타내어 보세요.

5 : 4 ⇨ (   )   8 : 10 ⇨ (   )   4 : 5 ⇨ (   )

2 1에서 비율이 같은 비를 찾아 비례식으로 나타내어 보세요.

8 : 10 = ☐ : ☐

[3~5] 비례식을 보고 ☐ 안에 외항 또는 내항을 써넣으세요.

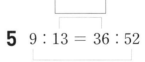

외항
7 : 2 = 21 : 6
내항

3 2 : 5 = 4 : 10

4 12 : 16 = 3 : 4

5 9 : 13 = 36 : 52

6 비율이 같은 두 비를 찾아 비례식을 세워 보세요.

0.5 : 0.2   7 : 5   5 : 2   21 : 10

(   )

교과서 개념

비례식의 성질을 어떻게 알 수 있나요?

정말 맛있다.

조용히 좀 드세요.
선생님이 알면 혼날지도
몰라요!

맛있어! 맛있어!

짭
짭
짭

짭

다 먹었네.

그걸 다!!

너 혹시 비례식의
성질은 알고 있니?

척

또 가르쳐 주고 간식
더 달라고 그럴 거죠?

어떻게 알았지?

큭
큭

그럴 필요 없어요. 비례식의
성질은 저도 알고 있어요.

벌
떡

정말?

그게…… 음……

우물
쭈물

후

내가 설명해주마.

비례식에서 외항의 곱과 내항의 곱은 같아.

$3 \times 6 = 18$ - 외항의 곱

$$3 : 2 = 9 : 6$$

$2 \times 9 = 18$ - 내항의 곱

(외항의 곱) = (내항의 곱)

아하, 그렇구나.

아니, 저 것은?

빵이다!

안 돼요.
그것만은…….

유통기한이 지나서
버려야 하는 데.

컥

◎ 비례식의 성질 알아보기

• 비례식에서 외항의 곱과 내항의 곱은 같습니다.

$$3 \times 6 = 18 \text{ — 외항의 곱}$$

$$3 : 2 = 9 : 6$$

$$2 \times 9 = \boxed{\text{❶}} \text{ — 내항의 곱}$$

(외항의 곱)＝(내항의 곱)

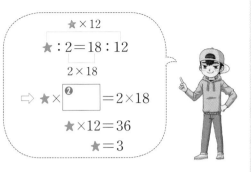

$$★ \times 12$$
$$★ : 2 = 18 : 12$$
$$2 \times 18$$
$$\Rightarrow ★ \times \boxed{\text{❷}} = 2 \times 18$$
$$★ \times 12 = 36$$
$$★ = 3$$

○ 정답　❶ 18　❷ 12

[1～5] 비례식에서 외항의 곱과 내항의 곱을 구하려고 합니다. □ 안에 알맞은 수를 써넣으세요.

1
$$5 \times 12 = \boxed{}$$
$$5 : 6 = 10 : 12$$
$$6 \times 10 = \boxed{}$$

2
$$3 \times 40 = \boxed{}$$
$$3 : 8 = 15 : 40$$
$$8 \times 15 = \boxed{}$$

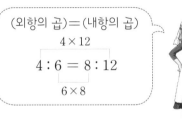

(외항의 곱)＝(내항의 곱)
$$4 \times 12$$
$$4 : 6 = 8 : 12$$
$$6 \times 8$$

3
$$33 \times \boxed{} = \boxed{}$$
$$33 : 22 = 3 : 2$$
$$22 \times 3 = \boxed{}$$

4
$$\frac{1}{2} \times 4 = \boxed{}$$
$$\frac{1}{2} : \frac{1}{7} = 14 : 4$$
$$\frac{1}{7} \times \boxed{} = \boxed{}$$

5
$$0.3 \times \boxed{} = \boxed{}$$
$$0.3 : 0.5 = 9 : 15$$
$$0.5 \times \boxed{} = \boxed{}$$

[6～7] 비례식의 성질을 이용하여 ★의 값을 구하려고 합니다. □ 안에 알맞은 수를 써넣으세요.

6
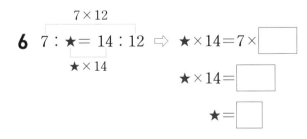

$$7 \times 12$$
$$7 : ★ = 14 : 12 \Rightarrow ★ \times 14 = 7 \times \boxed{}$$
$$★ \times 14$$
$$★ \times 14 = \boxed{}$$
$$★ = \boxed{}$$

7
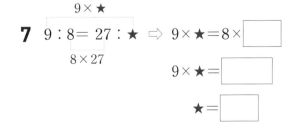

$$9 \times ★$$
$$9 : 8 = 27 : ★ \Rightarrow 9 \times ★ = 8 \times \boxed{}$$
$$8 \times 27$$
$$9 \times ★ = \boxed{}$$
$$★ = \boxed{}$$

비례식 알아보기

[01~05] 비례식을 보고 외항과 내항을 각각 찾아
써 보세요.

01

$$10 : 15 = 20 : 30$$

외항 (　　　　　　　　　　)
내항 (　　　　　　　　　　)

02

$$6 : 11 = 60 : 110$$

외항 (　　　　　　　　　　)
내항 (　　　　　　　　　　)

03

$$7 : 5 = 35 : 25$$

외항 (　　　　　　　　　　)
내항 (　　　　　　　　　　)

04

$$12 : 3 = 4 : 1$$

외항 (　　　　　　　　　　)
내항 (　　　　　　　　　　)

05

$$1 : 2 = 8 : 16$$

외항 (　　　　　　　　　　)
내항 (　　　　　　　　　　)

[06~09] 비율이 같은 두 비를 찾아 비례식으로 나
타내어 보세요.

06

| 7 : 9 | 2 : 9 | 14 : 63 |

$$\boxed{} : \boxed{} = \boxed{} : \boxed{}$$

07

| 16 : 10 | 12 : 15 | 4 : 5 |

$$\boxed{} : \boxed{} = \boxed{} : \boxed{}$$

08

| 5 : 6 | 3 : 11 | 9 : 33 |

$$\boxed{} : \boxed{} = \boxed{} : \boxed{}$$

09

| 4 : 7 | 12 : 21 | 6 : 14 |

$$\boxed{} : \boxed{} = \boxed{} : \boxed{}$$

비례식의 성질 알아보기

[10~14] 비례식에서 외항의 곱과 내항의 곱을 각각 구하세요.

10 $7:9=28:36$

┌ 외항의 곱: 　$7 \times 36 =$ ☐

└ 내항의 곱: 　$9 \times 28 =$ ☐

11 $4:8=1:2$

┌ 외항의 곱: _____

└ 내항의 곱: _____

12 $0.3:0.7=3:7$

┌ 외항의 곱: _____

└ 내항의 곱: _____

13 $100:1=10:\dfrac{1}{10}$

┌ 외항의 곱: _____

└ 내항의 곱: _____

14 $\dfrac{1}{9}:\dfrac{1}{11}=11:9$

┌ 외항의 곱: _____

└ 내항의 곱: _____

[15~19] 비례식의 성질을 이용하여 ☐ 안에 알맞은 수를 써넣으세요.

15 $3:5=15:$ ☐

16 $7:8=$ ☐ $:32$

17 ☐ $:10=30:50$

18 $2:$ ☐ $=8:20$

19 $44:16=11:$ ☐

교과서 개념

비례식을 어떻게 활용하나요?

아직 멀었어요?

다 되어가요!

우왓, 저건?

저건 전기 자동차예요.

우와~ 신기하다.

전기로 자동차를 움직이다니!

충전하면 계속 달릴 수도 있죠.

저런 멋진 자동차를 타고 해변을 한 번 달려봤으면······.

그런데 충전하면 얼마나 달릴 수 있는 거야?

10분 동안 충전하면 45 km를 달릴 수 있대요.

음....

그럼 30분 동안 충전하면?

그건······.

아, 맞다! 제가 비례식을 활용해 볼게요.

딱

전기 자동차를 30분 동안 충전했을 때 달릴 수 있는 거리를 ★ km라 하고 비례식을 세운 다음 비례식의 성질을 이용하여 ★을 구하면 돼요.

$$10 : 45 = 30 : ★ \Rightarrow 10 × ★ = 45 × 30$$
$$10 × ★ = 1350$$
$$★ = 135$$

뭐야, 한 참 재미있게 보고 있었는데!

◎ 비례식 활용하기

• 10분 동안 충전하면 45 km를 달릴 수 있는 전기 자동차를
30분 동안 충전하면 몇 km를 달릴 수 있는지 구하기

충전 시간과 달릴 수 있는 거리의 비에서 기준량인 거리를 구하는 문제예요.

① 전기 자동차의 충전 시간과 달릴 수 있는 거리의 비
　⇨ (충전 시간) : (달릴 수 있는 거리)＝10 : 45

② 전기 자동차를 30분 동안 충전했을 때 달릴 수 있는 거리를
★ km라 하고 비례식 세우기
　⇨ 10 : 45＝30 : ★

③ 비례식의 성질을 이용하여 ★ 구하기
10 : 45＝30 : ★ ⇨ 10×★＝45×30

$$10 \times ★ = \boxed{❶ \qquad}$$

$$★ = \boxed{❷ \qquad}$$

④ 30분 동안 충전하면 135 km를 달릴 수 있습니다.

◐ 정답　❶ 1350　❷ 135

4

비례식과 비례배분

[1~3] 휘발유 2 L로 30 km를 달릴 수 있는 자동차가 150 km를 달리려면 휘발유는 몇 L 필요한지 구하세요.

1 자동차의 휘발유 양과 달릴 수 있는 거리의 비를 구하세요.

(　　　　　　　)

2 150 km를 달리는 데 필요한 휘발유의 양을 ● L라 하고 비례식을 세워 보세요.

(　　　　　　　)

3 비례식의 성질을 이용하여 필요한 휘발유의 양은 몇 L인지 구하세요.

(　　　　　　　)

[4~5] 비누를 만들기 위해 물과 폐식용유를 3 : 8의 비로 섞으려고 합니다. 폐식용유의 양이 72 mL라면 필요한 물은 몇 mL인지 구하세요.

4 폐식용유의 양이 72 mL일 때 필요한 물의 양을 ▲ mL라 하고 비례식을 세워 보세요.

(　　　　　　　)

물의 양과 폐식용유 양의 비에서 비교하는 양인 물의 양을 구하는 문제예요.

5 비례식의 성질을 이용하여 필요한 물의 양은 몇 mL인지 구하세요.

(　　　　　　　)

맞아요! 전체를 주어진 비로 배분하는 것을 비례배분이라고 하지.

$$수잔: 10 \times \frac{2}{2+3} = 10 \times \frac{2}{5} = 4(장)$$

$$슈바이쳐: 10 \times \frac{3}{2+3} = 10 \times \frac{3}{5} = 6(장)$$

◎ 비례배분

• 비례배분: 전체를 주어진 비로 배분하는 것

• 사탕 10개를 2 : 3으로 나누기

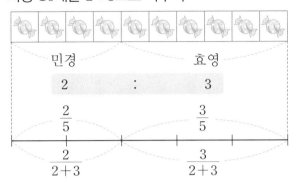

민경 : 효영

2 : 3

$\frac{2}{5}$ $\frac{3}{5}$

$\frac{2}{2+3}$ $\frac{3}{2+3}$

민경: $10 \times \frac{2}{2+3} = 10 \times \frac{2}{❶} = \boxed{❷}$ (개)

민경이는 전체의 $\frac{2}{5} \left(= \frac{2}{2+3} \right)$ 를 갖게 돼요.

효영: $10 \times \frac{❸}{2+3} = 10 \times \frac{3}{5} = \boxed{❹}$ (개)

효영이는 전체의 $\frac{3}{5} \left(= \frac{3}{2+3} \right)$ 을 갖게 돼요.

○ 정답 ❶ 5 ❷ 4 ❸ 3 ❹ 6

4

비례식과 비례배분

1 재경이와 준우는 빵 16개를 3 : 5로 나누어 가지려고 합니다. □ 안에 알맞은 수를 써넣으세요.

재경: $16 \times \frac{3}{3+5} = 16 \times \boxed{} = \boxed{}$ (개)

준우: $16 \times \frac{5}{\boxed{}+5} = 16 \times \boxed{} = \boxed{}$ (개)

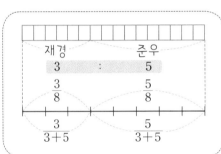

재경 : 준우

3 : 5

$\frac{3}{8}$ $\frac{5}{8}$

$\frac{3}{3+5}$ $\frac{5}{3+5}$

[2~4] 24를 주어진 비로 나누려고 합니다. □ 안에 알맞은 수를 써넣으세요.

2 | 1 : 3 |

$24 \times \frac{1}{1+3} = 24 \times \boxed{} = \boxed{}$

$24 \times \frac{3}{\boxed{}+3} = 24 \times \boxed{} = \boxed{}$

3 | 2 : 1 |

$24 \times \frac{2}{2+1} = 24 \times \boxed{} = \boxed{}$

$24 \times \frac{\boxed{}}{2+1} = 24 \times \boxed{} = \boxed{}$

4 | 7 : 5 |

$24 \times \frac{7}{7+\boxed{}} = 24 \times \boxed{} = \boxed{}$

$24 \times \frac{\boxed{}}{7+5} = 24 \times \boxed{} = \boxed{}$

비 7 : 5로 나눌 때 전항과 후항의 합 12를 분모로 하는 분수의 비로 나타내면 $\frac{7}{12} : \frac{5}{12}$ 예요.

비례식 활용하기

[01~04] 쌀과 보리를 2 : 3으로 섞어서 밥을 지으려고 합니다. 물음에 답하세요.

01 쌀이 8컵일 때 보리를 □컵이라 하고, 비례식을 세워 보리는 몇 컵인지 구하세요.

비례식 _____

답 _____

02 쌀이 12컵일 때 보리를 □컵이라 하고, 비례식을 세워 보리는 몇 컵인지 구하세요.

비례식 _____

답 _____

03 보리가 9컵일 때 쌀을 □컵이라 하고, 비례식을 세워 쌀은 몇 컵인지 구하세요.

비례식 _____

답 _____

04 보리가 27컵일 때 쌀을 □컵이라 하고, 비례식을 세워 쌀은 몇 컵인지 구하세요.

비례식 _____

답 _____

[05~08] 복사기는 7초에 9장을 복사할 수 있습니다. 물음에 답하세요.

05 복사기는 21초에 몇 장을 복사할 수 있을까요?

비례식 _____

답 _____

06 복사기는 56초에 몇 장을 복사할 수 있을까요?

비례식 _____

답 _____

07 18장을 복사하려면 몇 초가 걸릴까요?

비례식 _____

답 _____

08 36장을 복사하려면 몇 초가 걸릴까요?

비례식 _____

답 _____

비례배분

[09~14] 비례배분을 해 보세요.

09　┃　180을 1 : 2로 나누기

$$180 \times \frac{\boxed{}}{1+2} = 180 \times \boxed{} = \boxed{}$$

$$180 \times \frac{2}{\boxed{}+2} = 180 \times \boxed{} = \boxed{}$$

10　┃　48을 3 : 5로 나누기

$$48 \times \frac{3}{3+\boxed{}} = 48 \times \boxed{} = \boxed{}$$

$$48 \times \frac{\boxed{}}{3+\boxed{}} = 48 \times \boxed{} = \boxed{}$$

11　┃　55를 9 : 2로 나누기

$$55 \times \frac{9}{\boxed{}+2} = 55 \times \boxed{} = \boxed{}$$

$$55 \times \frac{\boxed{}}{9+2} = 55 \times \boxed{} = \boxed{}$$

12　┃　리본 360 cm를 5 : 4로 나누기

$$360 \times \frac{5}{5+4} = 360 \times \boxed{} = \boxed{} \ (\text{cm})$$

$$360 \times \frac{\boxed{}}{5+4} = 360 \times \boxed{} = \boxed{} \ (\text{cm})$$

13　┃　1400원을 4 : 3으로 나누기

$$1400 \times \frac{\boxed{}}{4+3} = 1400 \times \boxed{} = \boxed{} \ (\text{원})$$

$$1400 \times \frac{3}{4+3} = 1400 \times \boxed{} = \boxed{} \ (\text{원})$$

14　┃　6000원을 8 : 7로 나누기

$$6000 \times \frac{8}{\boxed{}+\boxed{}} = 6000 \times \boxed{}$$

$$= \boxed{} \ (\text{원})$$

$$6000 \times \frac{7}{\boxed{}+\boxed{}} = 6000 \times \boxed{}$$

$$= \boxed{} \ (\text{원})$$

4

비례식과 비례배분

01 전항에 △표, 후항에 ○표 하세요.

(1)
4 : 7

(2)
2 : 5

Tip

02 비의 성질을 이용하여 비율이 같은 비를 찾아 선으로 이어 보세요.

48 : 30 •

3 : 7 •

11 : 4 •

• 99 : 36

• 8 : 5

• 60 : 140

• 비의 전항과 후항에 0이 아닌 같은 수를 곱하거나 전항과 후항을 0이 아닌 같은 수로 나누어도 비율은 같습니다.

03 □ 안에 알맞은 수를 써넣어 간단한 자연수의 비로 나타내어 보세요.

(1)
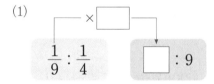

$\dfrac{1}{9} : \dfrac{1}{4}$ □ : 9

(2)
0.5 : 0.2   5 : □

• 소수의 비의 전항과 후항에 10, 100…… 등의 수를 곱하여 간단한 자연수의 비로 나타냅니다.

04 비율이 같은 두 비를 찾아 비례식을 세워 보세요.

11 : 17   7 : 9   3 : 6   14 : 18

□ : □ = □ : □

비율이 같은 두 비를 기호 '='를 사용하여 나타낸 식을 비례식이라고 해요.

05 비례식에서 외항의 곱과 내항의 곱을 구하고, 알맞은 말에 ◯표 하세요.

Tip

$0.5 : 0.4 = 30 : 24$	외항의 곱	$0.5 \times \boxed{} = \boxed{}$
	내항의 곱	$\boxed{} \times 30 = \boxed{}$

외항의 곱과 내항의 곱은 (같습니다 , 다릅니다).

비례식에서
외항의 곱과 내항의 곱의
크기를 비교해 봐요.

• 외항의 곱과 내항의 곱이 같
은지 확인합니다.

06 옳은 비례식을 모두 찾아 ◯표 하세요.

$$10 : 1 = 1 : \frac{1}{10}$$

( )

$$0.7 : 0.2 = 2 : 5$$

( )

$$4 : 7 = 12 : 21$$

( )

07 ☆ 붙임딱지 8개를 진영이와 완준이에게 $1 : 3$으로 나누어 그림으로 나타내고 ☐ 안에 알맞은 수를 써넣으세요.

진영: $\boxed{}$ 개   완준: $\boxed{}$ 개

• 전체를 주어진 비로 배분하는 것을 비례배분이라고 합니다.

08 28을 4 : 3으로 나누려고 합니다. ☐ 안에 알맞은 수를 써넣으세요.

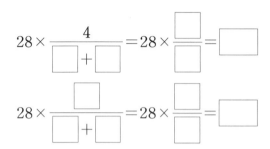

4 : 3으로 나누려면 전항과 후항의 합인 7을 분모로 하는 분수의 비로 나타내어 보세요.

09 가장 간단한 자연수의 비로 나타내어 보세요.

(1) 72 : 42

(2) $\frac{5}{9}$: 0.3

• $\frac{5}{9}$: 0.3에서 후항 0.3을 분수로 바꾼 다음 비의 성질을 이용하여 간단한 자연수의 비로 나타냅니다.

10 비례식의 성질을 이용하여 ☐ 안에 알맞은 수를 써넣으세요.

(1) 9 : 5 = 27 : ☐

(2) 20 : ☐ = 5 : 2

(3) ☐ : 52 = 1 : 4

• 외항의 곱과 내항의 곱이 같다는 비례식의 성질을 이용합니다.

11 수정이와 민교가 같은 책을 1시간 동안 읽었는데, 수정이는 전체의 $\frac{1}{3}$, 민교는 전체의 $\frac{1}{5}$을 읽었습니다. 수정이와 민교가 각각 1시간 동안 읽은 책의 양을 가장 간단한 자연수의 비로 나타내어 보세요.

(   )

Tip

수정이와 민교가 1시간 동안 읽은 책의 양의 비는 $\frac{1}{3} : \frac{1}{5}$이에요.

4

비례식과 비례배분

12 1000 mL 우유 2통은 3000원입니다. 우유 6통을 사려면 얼마가 필요한지 비례식을 세우고 답을 구하세요.

비례식 _____

답 _____

• 우유의 수와 우유 값의 비는 2 : 3000입니다.

13 5000원을 연수와 경민에게 3 : 7로 나누어 줄 때 두 사람이 각각 갖게 되는 용돈을 구하세요.

연수 : $5000 \times \dfrac{3}{\boxed{}} = \boxed{}$(원)

경민 : $5000 \times \dfrac{\boxed{}}{\boxed{}} = \boxed{}$(원)

• 5000원을 두 사람이 3 : 7로 나누면 전체를 10(=3+7)으로 나눈 것 중에 연수는 3만큼을, 경민이는 7만큼을 가지게 됩니다.

01 □ 안에 알맞은 말을 써넣으세요.

비 3 : 4에서 기호 ' : ' 앞에 있는 3을 □

뒤에 있는 4를 □ 이라고 합니다.

[02~03] 비의 성질을 이용하여 □ 안에 알맞은 수를 써넣으세요.

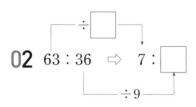

02 63 : 36 ⇨ 7 : □

÷9

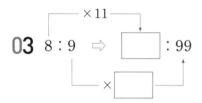

03 8 : 9 ⇨ □ : 99

×11
× □

04 □ 안에 알맞은 수를 써넣어 간단한 자연수의 비로 나타내어 보세요.

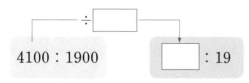

4100 : 1900   □ : 19

05 비례식인 것은 어느 것입니까? ·········· ( )

① 2＋5＝10－7

② 40＝2×20

③ 2 : 9＝4 : 18

④ 38－11＝27

⑤ 164÷4＝82÷2

06 외항을 찾아 △표, 내항을 찾아 ○표 하세요.

15 : 6 ＝ 30 : 12

07 비율이 같은 두 비를 찾아 비례식을 세워 보세요.

2 : 3   9 : 18   1 : 2

( )

08 비례식을 보고 알맞은 말에 ○표 하세요.

$$51 : 34 = 3 : 2$$

51×2

34×3

비례식에서 외항의 곱과 내항의 곱은
(같습니다 , 다릅니다).

[09~10] 가장 간단한 자연수의 비로 나타내어 보세요.

09

$$5 : 2\frac{3}{8}$$

(   )

10

$$0.07 : 0.63$$

(   )

11 72를 4 : 5로 나누려고 합니다. □ 안에 알맞은
수를 써넣으세요.

$$72 \times \dfrac{4}{\boxed{}} = \boxed{}$$

$$72 \times \dfrac{\boxed{}}{\boxed{}} = \boxed{}$$

12 직사각형의 가로와 세로의 비가 2 : 7입니다. 가
로가 40 cm라면 세로는 몇 cm인지 알아보기 위
해 다음과 같은 비례식을 세웠습니다. □ 안에 알
맞은 수를 써넣고 세로는 몇 cm인지 구하세요.

$$2 : 7 = 40 : \boxed{}$$

$\times 20$

$\times \boxed{}$

(   )

13 비례식의 성질을 이용하여 ★을 구하려고 합니다.
□ 안에 알맞은 수를 써넣으세요.

$$16 : ★ = 8 : 5 \Rightarrow ★ \times 8 = \boxed{} \times 5$$

16×5

$★ \times 8$

$$★ \times 8 = \boxed{}$$

$$★ = \boxed{}$$

14 보기 와 같이 □ 안의 수를 주어진 비로 나누어
차례로 써 보세요.

보기

| 18 | 5 : 1 ⇨ [15 , 3] |

| 121 | 8 : 3 ⇨ [,   ] |

4

비례식과 비례배분

[15~16] 비례식의 성질을 이용하여 ●는 얼마인지 구하세요.

15

$$9 : 6 = 3 : ●$$

(   )

16

$$4 : 7 = ● : 28$$

(   )

17 비례식이 <u>아닌</u> 것을 찾아 기호를 쓰세요.

㉠ 9 : 4 = 45 : 20
㉡ 0.5 : 0.6 = 5 : 6
㉢ 26 : 8 = 12 : 4

(   )

18 태석이는 꿀 0.06 L, 물 0.43 L를 넣어서 꿀물을 만들었습니다. 태석이가 꿀물을 만들 때 사용한 꿀의 양과 물의 양의 비를 가장 간단한 자연수의 비로 나타내어 보세요.

(   )

19 비의 성질을 이용하여 10 : 30과 비율이 같은 비를 2개 써 보세요.

(,   )

20 텃밭에서 수확한 오이 84개를 가족 수에 따라 나누어 주려고 합니다. 준기네 가족은 5명, 영주네 가족은 7명이라면 오이를 몇 개씩 나누어 주어야 할까요?

준기네 가족 (   )
영주네 가족 (   )

스스로 학습장은 이 단원에서 배운 것을 확인하는 코너입니다.
몰랐던 것은 꼭 다시 공부해서 내 것으로 만들어 봐요.

• 스피드 정답표 11쪽, 정답 37쪽

✳ **설명을 읽고 맞으면 ○표, 틀리면 ✕표 하세요.**

1 비율이 같은 두 비를 기호 '＝'로 나타낸 식을 비례식이라고 합니다. ┄┄┄┄┄ (　　)

2 비 12 : 5에서 전항은 12, 후항은 5입니다. ┄┄┄┄┄ (　　)

3 비의 전항과 후항에 0이 아닌 같은 수를 곱하여도 비율은 같습니다. ┄┄┄┄┄ (　　)

4 비의 전항과 후항에 0이 아닌 같은 수를 더하여도 비율은 같습니다. ┄┄┄┄┄ (　　)

5 비의 전항과 후항을 0이 아닌 같은 수로 나누어도 비율은 같습니다. ┄┄┄┄┄ (　　)

6 비례식에서 외항의 곱은 내항의 곱보다 작습니다. ┄┄┄┄┄ (　　)

7 $\frac{1}{5} : \frac{1}{6}$을 가장 간단한 자연수의 비로 나타내면 5 : 6입니다. ┄┄┄┄┄ (　　)

8 비례식 9 : 24＝3 : ★에서 ★은 8입니다. ┄┄┄┄┄ (　　)

9 사탕 27개를 민정이와 세나가 4 : 5로 나누면 민정이는 15개를 갖게 됩니다. ┄┄┄┄┄ (　　)

맞은 개수 8~9개

야호!
당신은 수학왕

맞은 개수 5~7개

좀더 노력하면
수학왕이 될 수 있어요.

맞은 개수 0~4개

이런! 수학 실력을
더 쌓아야겠어요.

원의 넓이

QR 코드를 찍으면
5단원 개념 동영상
강의를 볼 수 있어요.

 이번에 배울 내용

- 원주와 지름의 관계
- 원주율 알기
- 원주, 지름 구하기
- 원의 넓이 구하는 방법
- 원의 넓이 구하기
- 여러 가지 원의 넓이 구하기

어르신, 어서 오세요.

저희 동네의 유명한 할아버지세요.

한의사를 은퇴하시고 지금은 효능이 좋은 약초를 재배하고 계세요.

에헴

한의사?

한방으로 치료하시는 의사선생님이죠.

어떤 의술인지 궁금하네요.

그러게 말이야.

오늘이 바로 약초의 씨앗을 심기로 한 날이잖소.

맞아요! 오늘이네요.

아차! 오늘 아빠 뱃일을 도와주기로 한 날이잖아!

후다닥

너도 오늘 도와주기로 했잖아!

퍽

헉

잠시 후

이 녀석아! 지름이 3 m인 원을 그려야지!

지름이 뭔데요?

헉, 지름을 모르다니! 그럼 반지름도 모른다는 말이냐?

네.....

내가 가르쳐 줄게.

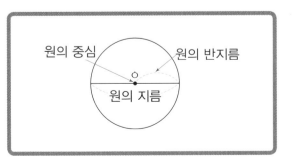

원의 중심 ○과 원 위의 한 점을 이은 선분을 반지름, 원의 중심 ○과 원 위의 두 점을 이은 선분을 지름이라고 해.

원의 중심　　　　원의 반지름

원의 지름

그래도 잘 모르겠는데요?

이 녀석, 일하기 싫어 그러는 걸 누가 모를 줄 알고!

준비 학습

1 그림을 보고 □ 안에 알맞은 말을 써넣으세요.

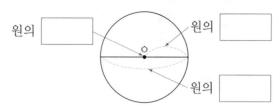

원의 [ ]   원의 [ ]

원의 [ ]

개념 체크 **1** ◀ 3학년 2학기 3단원

원
- 원의 중심: 원을 그릴 때에 누름 못이 꽂혔던 점 ㅇ
- 원의 반지름: 원의 중심 ㅇ과 원 위의 한 점을 이은 선분
- 원의 지름: 원의 중심 ㅇ과 원 위의 두 점을 이은 선분

2 원의 지름과 반지름이 각각 몇 cm인지 구하세요.

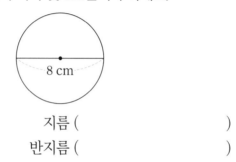

8 cm

지름 (   )
반지름 (   )

개념 체크 **2** ◀ 3학년 2학기 3단원

지름과 반지름의 관계
(반지름)=(지름)÷2

3 한 변의 길이가 7 cm인 정오각형의 둘레는 몇 cm인지 구하세요.

(   )

개념 체크 **3** ◀ 5학년 1학기 6단원

정다각형의 둘레
정다각형은 변의 길이가 모두 같습니다.
(정다각형의 둘레)
=(한 변의 길이)×(변의 수)

4 평행사변형의 둘레는 몇 cm인지 구하세요.

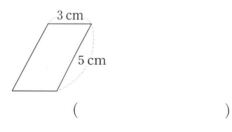

3 cm
5 cm

(   )

개념 체크 **4** ◀ 5학년 1학기 6단원

평행사변형의 둘레
(평행사변형의 둘레)
={(한 변의 길이)+(다른 한 변의 길이)}
×2

5 삼각형의 넓이는 몇 cm²인지 구하세요.

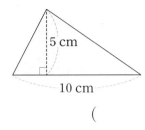

(　　　　　　)

개념 체크 **5** ◀ 5학년 1학기 6단원

삼각형의 넓이
(삼각형의 넓이)
＝(밑변의 길이)×(높이)÷2

6 한 변의 길이가 10 cm인 정사각형의 넓이는 몇 cm²인지 구하세요.

(　　　　　　)

개념 체크 **6** ◀ 5학년 1학기 6단원

정사각형의 넓이
(정사각형의 넓이)
＝(한 변의 길이)×(한 변의 길이)

7 계산해 보세요.

(1) 0.6×0.08

(2) 7.2×1.3

개념 체크 **7** ◀ 5학년 2학기 4단원

(소수)×(소수)
소수의 곱셈을 할 때에는 소수를 분수로 고쳐서 계산할 수 있습니다.
예 $2.4 \times 0.7 = \dfrac{24}{10} \times \dfrac{7}{10} = \dfrac{168}{100} = 1.68$

8 계산해 보세요.

(1) $4.2\overline{)25.2}$

(2) $0.4\overline{)5.65}$

개념 체크 **8** ◀ 6학년 2학기 2단원

소수의 나눗셈
소수의 나눗셈을 할 때에는 나누는 수와 나누어지는 수의 소수점을 똑같이 옮겨 계산하고, 몫을 쓸 때 옮긴 소수점의 위치에서 소수점을 찍습니다.

5

원의 넓이

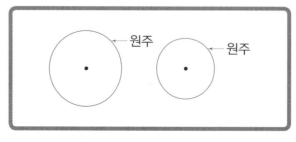

◎ 원주와 지름의 관계 알아보기

• 원주: 원의 둘레

• 정사각형의 둘레와 원의 지름 비교하기

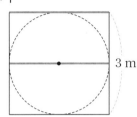

3 m

정사각형의 둘레:

원의 지름

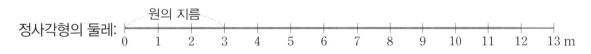

0 1 2 3 4 5 6 7 8 9 10 11 12 13 m

정사각형의 둘레는 원의 지름의 ❶⬚ 배입니다.

원주는 정사각형의 둘레보다 짧습니다. ➪ (원주) ◯❷ (정사각형의 둘레)

❷ 정답 ❶ 4 ❷ <

5

원의 넓이

[1~2] 한 변의 길이가 1 cm인 정육각형, 지름이 2 cm인 원, 한 변의 길이가 2 cm인 정사각형을 보고 물음에 답하세요.

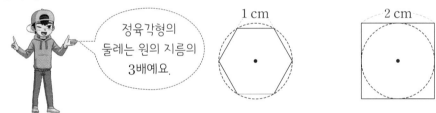

정육각형의 둘레는 원의 지름의 3배예요.

1 cm

2 cm

1 정육각형의 둘레, 원주, 정사각형의 둘레를 그림에 표시해 보세요.

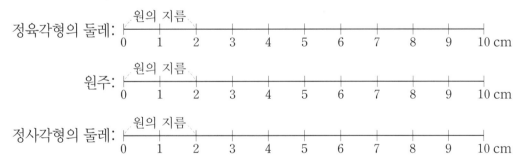

정육각형의 둘레:

원의 지름

0 1 2 3 4 5 6 7 8 9 10 cm

원주:

원의 지름

0 1 2 3 4 5 6 7 8 9 10 cm

정사각형의 둘레:

원의 지름

0 1 2 3 4 5 6 7 8 9 10 cm

2 ⬚ 안에 알맞은 수를 써넣으세요.

(원의 지름) × ⬚ < (원주), (원주) < (원의 지름) × ⬚

아이고~ 이제 다 됐죠?

고생했구나!

고생했으니 씨앗을 심기 전에 잠깐 쉽시다.

와~

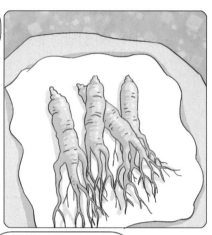

내가 아주 귀하게 캔 약초라우. 맛있게들 드셔.

와~

이렇게 귀한 것을……

제 약초는 박사님께 양보하죠.

정말?

하하하 고맙구나. 그럼 내가 그 보답으로 원주율에 대해 알려주마.

그럴 필요까지는 없는뎅.

하하

휘

잉

원의 지름에 대한 원주의 비율을 원주율이라고 해.

(원주율)=(원주)÷(지름)

· 원주가 9.43 cm인 원의 원주율 구하기

3 cm

$$(원주율) = 9.43 \div 3$$

원주

지름

$$= 3.1433\cdots$$

아하! 그렇군요.

그럼 이 약초는 잘 먹을게.

하하

그럼요. 그럼요. 몸에 좋은 거니까 많이 드셔야죠.

아작

윽, 써!

컥컥

쿡쿡

입에 쓴 약초가 몸에도 좋은 법!

◎ 원주율 알아보기

• 원주율: 원의 지름에 대한 원주의 비율

$$(원주율)＝(원주)÷(지름)$$

• 원주율을 반올림하여 나타내기

지름: 3 cm, 원주: 9.43 cm

$(원주율)＝(원주)÷(지름)$

$＝9.43÷3＝3.1433\cdots\cdots$

원주율을 소수로 나타내면 3.1415926535897932……와 같이 끝없이 계속돼요. 따라서 필요에 따라 3, 3.1, 3.14 등으로 줄여서 사용해요.

⇨ 원주율을 반올림하여 자연수로 나타내기: ❶ ☐

원주율을 반올림하여 소수 첫째 자리까지 나타내기: ❷ ☐

◎ 정답　❶ 3　❷ 3.1

1 원의 지름에 대한 원주의 비율을 무엇이라고 할까요?　　　(　　　　　　　)

2 (원주)÷(지름)을 반올림하여 주어진 자리까지 나타내어 보세요.

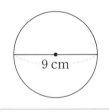

원주: 28.27 cm

원주율	
반올림하여 소수 첫째 자리까지	반올림하여 소수 둘째 자리까지

[3~5] 원주율을 구하세요.

3

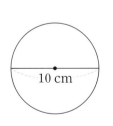

원주: 31.4 cm

(　　　　　　)

4

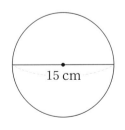

원주: 47.1 cm

(　　　　　　)

5

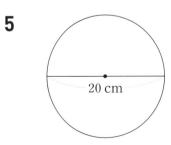

원주: 62.8 cm

(　　　　　　)

2 단계

원주와 지름의 관계 알아보기

[01~02] 원에 지름을 그리고 원주를 빨간색으로 표시해 보세요.

01

02

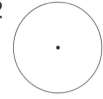

[03~05] 원을 보고 설명이 맞으면 ○, 틀리면 ×표 하세요.

03 지름이 커지면 원주도 커집니다.

························· (   )

04 원의 둘레가 작아지면 지름도 작아집니다.

························· (   )

05 지름의 길이와 원주는 같습니다.

························· (   )

원주율 알아보기

[06~08] (원주)÷(지름)을 반올림하여 주어진 자리까지 나타내어 보세요.

06

6 cm

원주: 18.85 cm

반올림하여 소수 첫째 자리까지	반올림하여 소수 둘째 자리까지

07

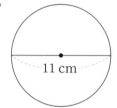

11 cm

원주: 34.6 cm

반올림하여 자연수로	반올림하여 소수 첫째 자리까지

08

7 cm

원주: 21.99 cm

반올림하여 소수 첫째 자리까지	반올림하여 소수 둘째 자리까지

[09~12] 원주율을 구하세요.

09

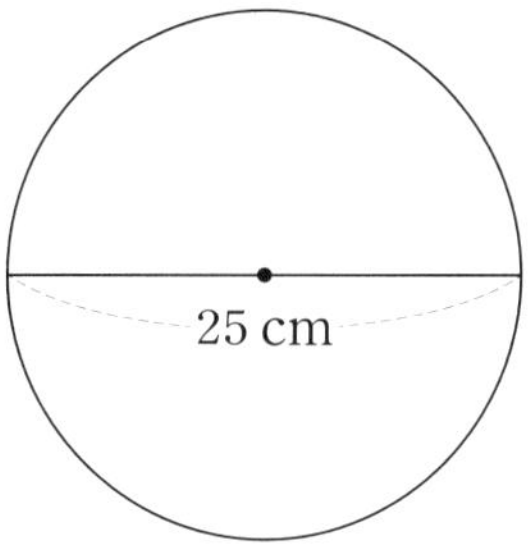

25 cm

원주: 78.5 cm

( )

10

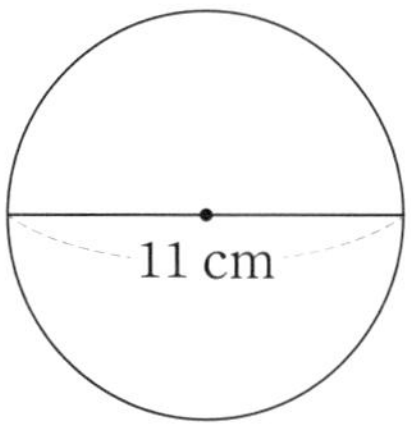

11 cm

원주: 34.54 cm

( )

11

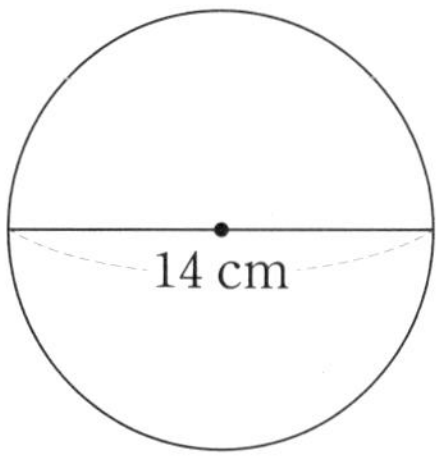

14 cm

원주: 43.96 cm

( )

12

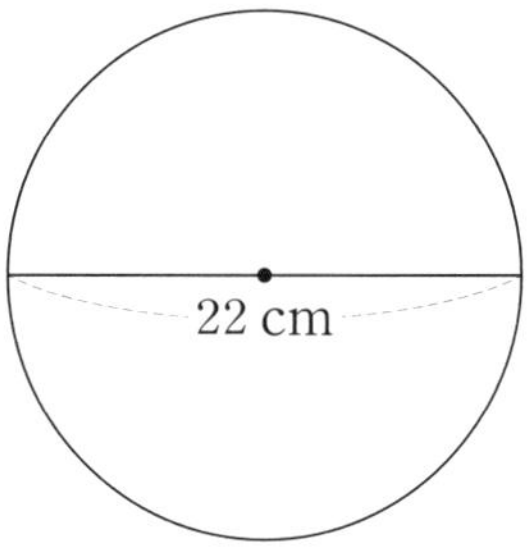

22 cm

원주: 69.08 cm

( )

[13~16] 지름은 몇 cm인지 구하고 원주율을 구하세요.

13

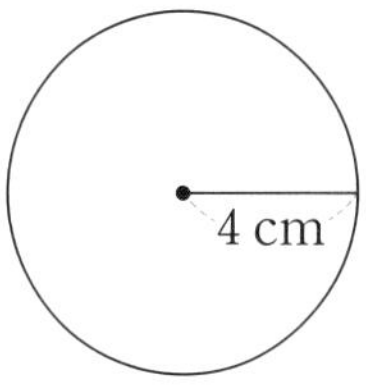

4 cm

원주: 25.12 cm

지름 ( )
원주율 ( )

14

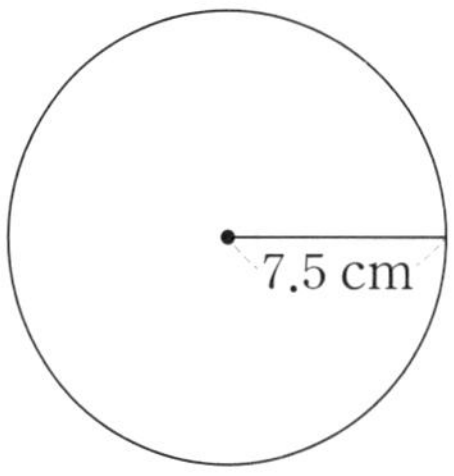

7.5 cm

원주: 47.1 cm

지름 ( )
원주율 ( )

15

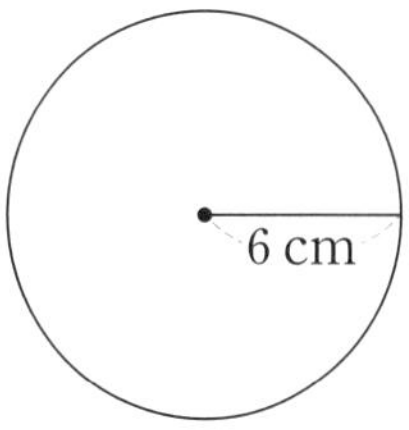

6 cm

원주: 37.68 cm

지름 ( )
원주율 ( )

16

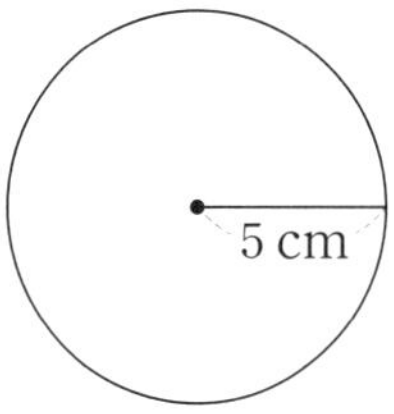

5 cm

원주: 31.4 cm

지름 ( )
원주율 ( )

5

원의 넓이

원주와 지름은 어떻게 구하나요?

으~ 너무 써!

힘이 팍팍! 나실 거예요.

수잔은 쓰지 않았어?

전 사실 먹지 않았답니다.

너무 쓸까봐?

아니요, 아프리카에 있는 아픈 어린이들에게 조금씩이라도 나누어 주려구요.

수잔! 역시 당신은……

박사님이 먹는 걸 보더니 그런 거 아니에요?

호호~ 그렇게 보였니?

수잔의 순수한 마음을 오염된 눈으로 보다니!

이제 원 모양의 밭에 이 씨앗을 뿌립시다.

그런데 왜 내 밭이 더 큰 거죠? 그럼 씨를 더 많이 심어야 하잖아요!

내가 보기에는 비슷한데?

아닌 것 같은데요?

내 밭의 원주는 21.98 m 니까 지름을 구해 볼까?

(지름)＝(원주)÷(원주율)을 이용하면 되겠군.

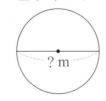

내 밭의 지름은 6 m인데……ㅋㅋ

뭐야! 내 밭이 더 크잖아.

- 원주가 21.98 m인 원의 지름 (원주율: 3.14)

? m

$$(지름)＝(원주)÷(원주율)$$
$$＝21.98÷3.14$$
$$＝7 \, (m)$$

◎ 원주 구하기 (원주율: 3.14)

$$(원주)=(지름)\times(원주율)$$

• 지름이 6 m인 원의 원주 구하기

$$(원주)=(지름)\times(원주율)$$
$$=\boxed{}^{①}\times 3.14$$
$$=18.84 \text{ (m)}$$

◎ 지름 구하기 (원주율: 3.14)

$$(지름)=(원주)\div(원주율)$$

• 원주가 21.98 m인 원의 지름 구하기

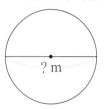

$$(지름)=(원주)\div(원주율)$$
$$=\boxed{}^{②}\div 3.14=7 \text{ (m)}$$

○ 정답　❶ 6　❷ 21.98

[1~2] 보기 를 보고 □ 안에 알맞은 말을 써넣으세요.

보기

원주　반지름　지름　원주율

1 (원주)=(　　　　)×(원주율)

2 (지름)=(　　　　)÷(원주율)

[3~4] 원주는 몇 cm인지 구하세요. (원주율: 3.1)

3

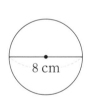

(　　　　　　　　　)

4

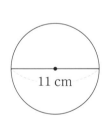

(　　　　　　　　　)

(원주율)＝(원주)÷(지름)
(원주)＝(지름)×(원주율)
(지름)＝(원주)÷(원주율)

[5~6] 지름은 몇 cm인지 구하세요. (원주율: 3)

5

원주: 18 cm

(　　　　　　　　　)

6

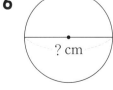

원주: 36 cm

(　　　　　　　　　)

씨앗을 모두 심었어요!

이제 저 물통에 있는 물을 밭에 주면 됩니다.

끝난 게 아니었어.

어? 저건!

할아버지 어디 가세요?

드디어 신비의 명약을 찾았다! 반지름이 8 cm이군!

뭐지?

원 모양 잎의 넓이가 128 cm² 보다 크고 256 cm² 보다 작군. 약효가 가장 좋을 때야.

그런데 나뭇잎의 넓이를 어떻게 알아요?

정사각형을 이용하면 돼!

?!

원의 안과 밖의 정사각형을 활용해서 넓이를 어림할 수 있지.

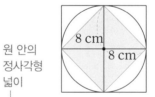

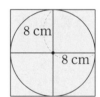

원 안의 정사각형 넓이

128 cm² < (반지름이 8 cm인 원의 넓이)
(반지름이 8 cm인 원의 넓이) < 256 cm²

원 밖의 정사각형 넓이

이게 그렇게 약효가 좋단 말이죠?

그럼요!

맛은 어떤지 볼까?

안돼!

끓이지 않으면 엄청 떫을 텐데!

괘……괜찮아요. 몸에 좋다면서요.

◎ 원의 넓이 어림하기

• 반지름이 8 cm인 원의 넓이 어림하기

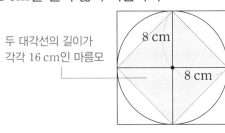

두 대각선의 길이가 각각 16 cm인 마름모

한 변의 길이가 16 cm인 정사각형

(원 안의 정사각형의 넓이)$= 16 \times 16 \div 2 = 128$ (cm²)

(원 밖의 정사각형의 넓이)$= 16 \times 16 = 256$ (cm²)

➡ 원의 넓이 어림하기

원 안의 정사각형의 넓이　❶ ☐ cm² < (반지름이 8 cm인 원의 넓이)

(반지름이 8 cm인 원의 넓이) < ❷ ☐ cm²

└ 원 밖의 정사각형의 넓이

❖ 정답　❶ 128　❷ 256

5

원의 넓이

[1~3] 반지름이 5 cm인 원의 넓이를 어림해 보려고 합니다. 물음에 답하세요.

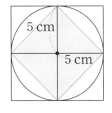 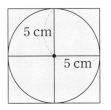

1 원 안에 있는 정사각형의 넓이는 몇 cm²일까요?　(　　　　　　)

2 원 밖에 있는 정사각형의 넓이는 몇 cm²일까요?　(　　　　　　)

원의 넓이는 원 안의 정사각형의 넓이보다 크고 원 밖의 정사각형의 넓이보다 작습니다.

3 원의 넓이를 어림해 보세요.

☐ cm² < (반지름이 5 cm인 원의 넓이)

(반지름이 5 cm인 원의 넓이) < ☐ cm²

4 반지름이 4 cm인 원의 넓이는 얼마인지 어림해 보려고 합니다. ☐ 안에 알맞은 수를 써넣으세요.

☐ cm² < (반지름이 4 cm인 원의 넓이)

(반지름이 4 cm인 원의 넓이) < ☐ cm²

원주, 지름 구하기

[01~04] 원주는 몇 cm인지 구하세요. (원주율: 3.14)

01

6 cm

(   )

02

10 cm

(   )

03

4 cm

(   )

04

5 cm

(   )

[05~06] 지름은 몇 cm인지 구하세요. (원주율: 3.1)

05

? cm

원주: 31 cm

(   )

06

? cm

원주: 21.7 cm

(   )

[07~08] 반지름은 몇 cm인지 구하세요. (원주율: 3)

07

? cm

원주: 27 cm

(   )

08

? cm

원주: 18 cm

(   )

원의 넓이 어림하기

[09~11] 정사각형을 이용하여 원의 넓이를 어림해 보려고 합니다. ☐ 안에 알맞은 수를 써넣으세요.

09

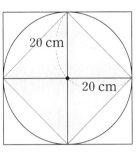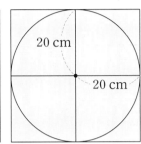

☐ cm² < (원의 넓이)

(원의 넓이) < ☐ cm²

10

☐ cm² < (원의 넓이)

(원의 넓이) < ☐ cm²

11

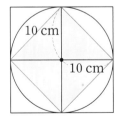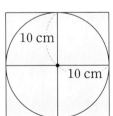

☐ cm² < (원의 넓이)

(원의 넓이) < ☐ cm²

[12~14] 모눈의 수를 세어 반지름이 4 cm인 원의 넓이를 어림해 보세요.

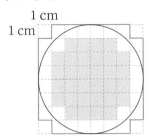

12 노란색 모눈의 수는 몇 개일까요?

( )

13 초록색 선 안쪽의 모눈의 수는 몇 개일까요?

( )

14 원의 넓이를 어림해 보세요.

☐ cm² < (원의 넓이)

(원의 넓이) < ☐ cm²

[15~17] 원의 넓이를 어림해 보세요.

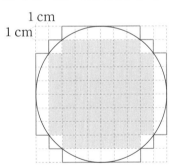

15 노란색 모눈의 수는 몇 개일까요?

( )

16 초록색 선 안쪽의 모눈의 수는 몇 개일까요?

( )

17 원의 넓이를 어림해 보세요.

☐ cm² < (원의 넓이)

(원의 넓이) < ☐ cm²

5

원의 넓이

(원의 넓이)=(반지름)×(반지름)×(원주율)이거든.

- 반지름이 2 cm인 원의 넓이 (원주율: 3.14)

$$(원의 넓이) = 2 \times 2 \times 3.14 = 12.56 \,(cm^2)$$

◎ 원의 넓이 구하는 방법

도형의 가로

(원주)×$\frac{1}{2}$

원의 반지름

도형의 세로

원을 한없이 잘라서 이어 붙이면 점점 직사각형에 가까워져요.

(원의 넓이)=(원주)×$\frac{1}{2}$×(반지름)

=(원주율)×(지름)×$\frac{1}{2}$×(반지름)

=(❶   )×(반지름)×(원주율)

◎ 원의 넓이 구하기 (원주율 : 3.14)

2 cm

(원의 넓이)=(반지름)×(반지름)×(원주율)

(원의 넓이)= ❷ ×2× ❸ =12.56 (cm²)

◎ 정답 ❶ 반지름 ❷ 2 ❸ 3.14

5

원의 넓이

1 원을 한없이 잘라 이어 붙여서 점점 직사각형에 가까워지는 도형으로 바꾸어 보았습니다. 보기 를 보고 ☐ 안에 알맞은 말을 써넣으세요.

직사각형에 가까워지는 도형의 가로는 (원주)×$\frac{1}{2}$과 같고, 세로는 원의 반지름과 같아요.

보기
원주   반지름   지름   원주율

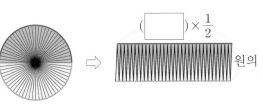

(   )×$\frac{1}{2}$

원의

(원의 넓이)=(반지름)×(반지름)×(   )

[2~4] 원의 넓이는 몇 cm²인지 구하세요. (원주율: 3.14)

2

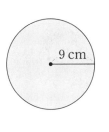

9 cm

(   )

3

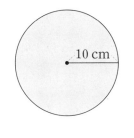

10 cm

(   )

4

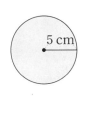

5 cm

(   )

게임하는 방법은 어떻게 아신 거예요?

네가 하는 걸 지켜봤지.

수잔 누나도 이 사실을 알고 있을까요?

박사님을 정말 존경하는 것 같던데.

박사님!

알았어. 그럼 내가 너에게 아주 중요한 선물을 줄게.

정말요? 헤헤

이건……?!

여러 가지 원의 넓이를 구하는 법을 알려줄게.

난 또…….

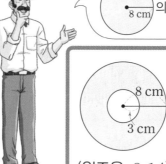

8 cm 의 넓이에서 3 cm 의 넓이를 빼는 거야.

(색칠한 부분의 넓이)
$= 3.14 \times 8 \times 8 - 3.14 \times 3 \times 3$
$= 172.7 \, (\text{cm}^2)$

8 cm
3 cm

(원주율: 3.14)

그럼 이것으로 우리의 거래는 끝난 거다.

잠시 후

박사님, 정말이에요?! 게임기 말이에요!

이 녀석!

◎ 여러 가지 원의 넓이 구하기

• 색칠한 부분의 넓이 구하기 (원주율: 3.14)

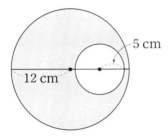

(색칠한 부분의 넓이)

＝(반지름이 8 cm인 원의 넓이)－(반지름이 3 cm인 원의 넓이)

＝$3.14 \times 8 \times 8 - 3.14 \times 3 \times 3$

＝$200.96 -$ ❶

＝❷ (cm²)

➡ 정답 ❶ 28.26 ❷ 172.7

[1~3] 색칠한 부분의 넓이를 구하려고 합니다. 물음에 답하세요. (원주율: 3)

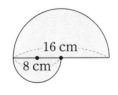

5 cm

12 cm

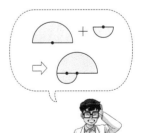

1 반지름이 12 cm인 원의 넓이는 몇 cm²일까요? (   )

2 반지름이 5 cm인 원의 넓이는 몇 cm²일까요? (   )

3 색칠한 부분의 넓이는 몇 cm²일까요? (   )

[4~6] 도형의 넓이를 구하려고 합니다. 물음에 답하세요. (원주율: 3.1)

16 cm

8 cm

4 지름이 16 cm인 반원의 넓이는 몇 cm²일까요? (   )

5 지름이 8 cm인 반원의 넓이는 몇 cm²일까요? (   )

6 도형의 넓이는 몇 cm²일까요? (   )

원의 넓이 구하는 방법

[01~04] 원의 넓이는 몇 cm²인지 구하세요.

(원주율: 3)

01
3 cm

(   )

02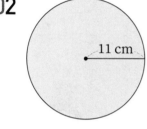
11 cm

(   )

03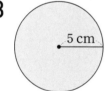
5 cm

(   )

04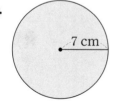
7 cm

(   )

[05~08] 원의 넓이는 몇 cm²인지 구하세요.

(원주율: 3.14)

05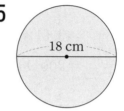
18 cm

(   )

06
8 cm

(   )

07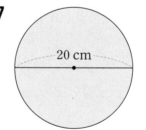
20 cm

(   )

08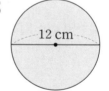
12 cm

(   )

여러 가지 원의 넓이 구하기

[09~12] 도형의 넓이는 몇 cm²인지 구하세요.

(원주율: 3.1)

09

24 cm

( )

10

8 cm

( )

11

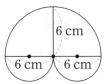

6 cm
6 cm 6 cm

( )

12

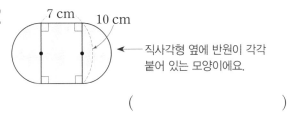

7 cm   10 cm

← 직사각형 옆에 반원이 각각
붙어 있는 모양이에요.

( )

[13~16] 색칠한 부분의 넓이는 몇 cm²인지 구하세요.

(원주율: 3)

13

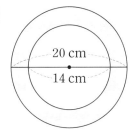

20 cm
14 cm

( )

14

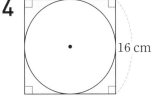

16 cm

( )

15

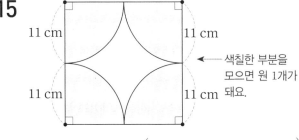

11 cm   11 cm

11 cm   11 cm

← 색칠한 부분을
모으면 원 1개가
돼요.

( )

16

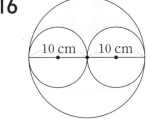

10 cm   10 cm

( )

5

원의 넓이

01 □ 안에 알맞은 말을 써넣으세요.

> 원의 둘레를 [   ] (이)라고 합니다.

02 원을 보고 설명이 맞으면 ○표, 틀리면 ×표 하세요.

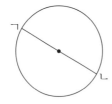

(1) 원의 중심을 지나는 선분 ㄱㄴ은 원의 반지름입니다. (   )

(2) 원의 둘레가 커지면 지름이 커집니다.   (   )

(3) 지름이 작아지면 원주는 커집니다.   (   )

원의 지름이 커지면
원의 크기가 커지므로
원의 둘레도 커집니다.

03 다음 원의 원주와 지름을 재어보았습니다. (원주)÷(지름)을 반올림하여 주어진 자리까지 나타내어 보세요.

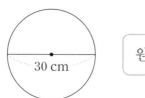

30 cm

> 원주: 94.25 cm

반올림하여 소수 첫째 자리까지	반올림하여 소수 둘째 자리까지

· 원주율은 나누어떨어지지 않
고 끝없이 이어지는 수이므
로 어림하여 사용합니다.

• 스피드 정답표 13쪽, 정답 42쪽 월   일

04 프로펠러의 길이가 8 cm인 장난감 헬리콥터가 있습니다. 프로펠러 한 개가 돌 때 생기는 원의 원주는 몇 cm일까요? (원주율: 3.14)

8 cm

(   )

Tip

길이가 8 cm인 프로펠러가 돌면 지름이 8 cm인 원이 생겨요.

8 cm

05 길이가 60 cm인 종이띠를 겹치지 않게 붙여서 원을 만들었습니다. 만들어진 원의 지름은 몇 cm일까요? (원주율: 3)

(   )

5

원의 넓이

06 그림과 같이 한 변의 길이가 12 cm인 정사각형에 지름이 12 cm인 원을 그리고 1 cm 간격으로 점선을 그렸습니다. 모눈의 수를 세어 원의 넓이를 어림해 보세요.

1 cm
1 cm

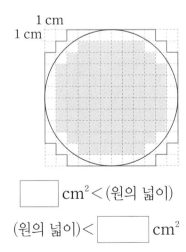

$\boxed{}$ cm² < (원의 넓이)

(원의 넓이) < $\boxed{}$ cm²

• 모눈 한 칸의 넓이는 1 cm² 입니다.

원을 4등분하여 노란색 모눈의 수와 초록색 선 안쪽의 모눈의 수를 세어 봅니다.

1 cm
1 cm

노란색 모눈의 수: 22개
초록색 선의 안쪽의 모눈의 수: 33개

[07~09] 반지름이 12 cm인 원의 넓이는 얼마인지 어림해 보려고 합니다. 물음에 답하세요.

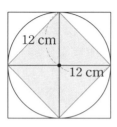 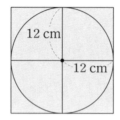

07 위 그림을 보고 ○ 안에 >, =, <를 알맞게 써넣으세요.

(원 안의 정사각형의 넓이) ◯ (원의 넓이)

(원 밖의 정사각형의 넓이) ◯ (원의 넓이)

08 □ 안에 알맞은 수를 써넣으세요.

(원 안의 정사각형의 넓이)	(원 밖의 정사각형의 넓이)
= □ × □ ÷ 2	= □ × □
= □ (cm²)	= □ (cm²)

09 원의 넓이를 어림해 보세요.

□ cm² < (원의 넓이)

(원의 넓이) < □ cm²

10 원의 지름을 이용하여 원의 넓이를 구하세요. (원주율: 3.1)

지름(cm)	반지름(cm)	원의 넓이 구하는 식	원의 넓이(cm²)
8			
26			

• 원과 정사각형의 넓이 비교

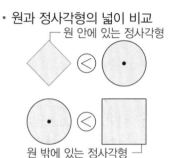

• (마름모의 넓이)
　=(한 대각선의 길이)
　　×(다른 대각선의 길이)÷2
(정사각형의 넓이)
　=(한 변의 길이)
　　×(한 변의 길이)

• (원의 넓이)
　=(반지름)×(반지름)
　　×(원주율)

11 원 모양의 거울이 있습니다. 거울의 반지름이 9 cm일 때 거울의 넓이는 Tip 몇 cm²일까요? (원주율: 3.1)

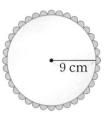

9 cm

(   )

12 보희 집에는 넓이가 서로 다른 원 모양의 프라이팬이 있습니다. 보기 를 보고 넓이가 큰 프라이팬부터 차례로 기호를 써 보세요. (원주율: 3)

> 보기
> ㉠ 반지름이 13 cm인 프라이팬
> ㉡ 지름이 30 cm인 프라이팬
> ㉢ 넓이가 588 cm²인 프라이팬
> ㉣ 원주가 72 cm인 프라이팬

(   )

• 원주만 알 때
(지름)=(원주)÷(원주율)을 이용하여 지름을 구하면 넓이도 구할 수 있습니다.

5 원의 넓이

13 색칠한 부분의 넓이는 몇 cm²일까요? (원주율: 3.14)

14 cm

14 cm

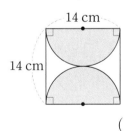

(   )

색칠한 부분의 넓이는 지름이 14 cm인 원 1개의 넓이와 같아요.

01 □ 안에 알맞은 말을 써넣으세요.

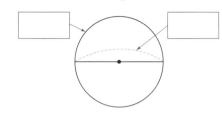

02 원의 지름에 대한 원주의 비율을 무엇이라고 할까요?

( )

[03~04] 슬기는 시계의 원주와 지름을 재어보았습니다. 물음에 답하세요.

지름: 13 cm
원주: 40.84 cm

03 (원주)÷(지름)을 반올림하여 자연수로 나타내어 보세요.

( )

04 (원주)÷(지름)을 반올림하여 소수 둘째 자리까지 나타내어 보세요.

( )

05 원주가 21.98 cm인 원입니다. 이 원의 원주율을 구하세요.

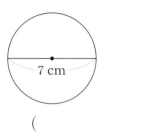

( )

[06~07] 원주는 몇 cm인지 구하세요. (원주율: 3.14)

06

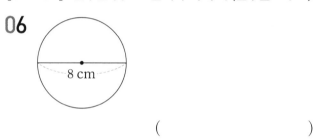

( )

07

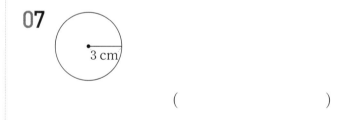

( )

08 □ 안에 알맞은 수를 써넣으세요. (원주율: 3)

원주: 27 cm

09 원주가 12.4 cm인 원입니다. 이 원의 반지름은 몇 cm일까요? (원주율: 3.1)

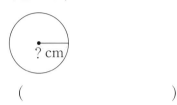

( )

10 반지름이 3 cm인 원의 넓이를 어림하려고 합니다. □ 안에 알맞은 수를 써넣으세요.

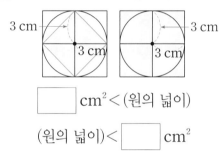

☐ cm² < (원의 넓이)

(원의 넓이) < ☐ cm²

11 지름이 9 cm인 원의 넓이를 어림하려고 합니다. □ 안에 알맞은 수를 써넣으세요.

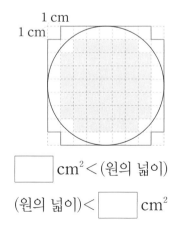

☐ cm² < (원의 넓이)

(원의 넓이) < ☐ cm²

12 반지름이 2 cm인 원을 한없이 잘라 이어 붙여서 점점 직사각형에 가까워지는 도형을 만들었습니다. □ 안에 알맞은 수를 써넣으세요.

(원주율: 3.14)

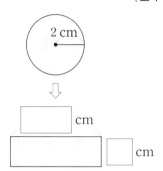

[13~14] 원의 넓이는 몇 cm²인지 구하세요.

(원주율: 3)

13

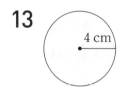

( )

14

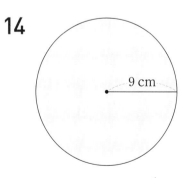

( )

5

원의 넓이

15 지름이 6 cm인 원의 넓이는 몇 cm²일까요?

(원주율: 3.1)

(   )

16 반지름과 원주는 각각 몇 cm인지, 넓이는 몇 cm²인지 차례로 구하세요. (원주율: 3.14)

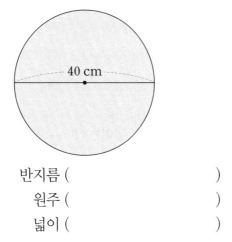

반지름 (   )

원주 (   )

넓이 (   )

17 수경, 지민, 온유가 말한 내용을 살펴보고 잘못 말한 친구를 찾아 이름을 써 보세요.

> 수경: 원주는 지름의 약 3배야.
> 지민: 원이 커지면 원주율도 커져.
> 온유: 지름과 원주를 이용하면 원주율을 구할 수 있어.

(   )

18 도형의 넓이는 몇 cm²일까요? (원주율: 3)

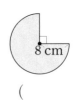

(   )

[19~20] 도형을 보고 물음에 답하세요.

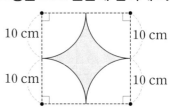

19 색칠한 부분의 넓이를 구하는 방법입니다. ☐ 안에 알맞은 수를 써넣으세요.

> 색칠한 부분의 넓이는 한 변의 길이가
>
> ☐ cm인 정사각형의 넓이에서
>
> 반지름이 ☐ cm 인 원의 넓이를 빼서
>
> 구합니다.

20 색칠한 부분의 넓이는 몇 cm²일까요?

(원주율: 3.14)

(   )

스스로 학습장

스스로 학습장은 이 단원에서 배운 것을 확인하는 코너입니다.
몰랐던 것은 꼭 다시 공부해서 내 것으로 만들어 보아요.

• 스피드 정답표 13쪽, 정답 43쪽

✳ 친구들이 가지고 있는 물건을 보고 ☐ 안에 알맞은 수를 써넣으세요. (원주율: 3.1)

1

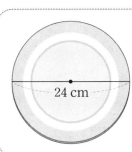

24 cm

원 모양 접시의 원주는 ☐ cm이고

넓이는 ☐ cm²예요.

2

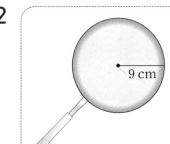

9 cm

원 모양 프라이팬의

원주는 ☐ cm이고

넓이는 ☐ cm²랍니다.

3

부채의 넓이는 지름이 ☐ cm인 원의 넓이에서 지름이 ☐ cm인 원의 넓이를 빼서 구할 수 있죠.

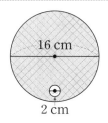

16 cm

2 cm

(부채의 넓이)= ☐ cm²

4

정사각형 모양의 손수건에서 보라색 부분의 넓이는 지름이 ☐ cm인 원의 넓이와 같아요.

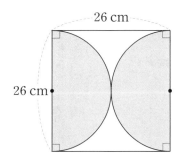

26 cm

26 cm

(보라색 부분의 넓이)= ☐ cm²

원기둥, 원뿔, 구

QR 코드를 찍으면
6단원 개념 동영상
강의를 볼 수 있어요

📓 **이번에 배울 내용**

- 원기둥 알아보기
- 원기둥의 전개도
- 원뿔 알아보기
- 구 알아보기
- 여러 가지 모양 만들기

의술은 체력이다!

잘 새겨둘게요.

넌 원의 넓이를 구하는 방법은 잊지 않았겠지?

갑자기 원의 넓이??

(원의 넓이)=(원주율)×(반지름)×(반지름)

2 cm

(원의 넓이)
$= 3.14 \times 2 \times 2$
$= 12.56 \, (\text{cm}^2)$

(원주율: 3.14)

어때요?

기억하고 있구나.

엄지 척!

그럼, 아프리카에 무서운 맹수들이 많은 건 알고 있지?

그건 또 왜요?

뜨거운 전사의 심장이 없인 아프리카에서 생활하기가 쉽지 않다는 말이다.

아~ 용맹하다는 말씀?

박사님! 여……옆에!

뭔데?

쥐가 나타났어요!

쥐가 아니라 쥐를 닮은 돌멩이였네.

용맹한 박사님은 아니었어.

박사님, 정신 차리세요!

1 입체도형의 이름을 써 보세요.

(1)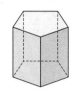

(2)

(   )   (   )

2 ☐ 안에 각 부분의 이름을 써넣으세요.

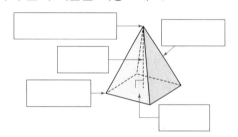

3 사각기둥의 전개도를 완성해 보세요.

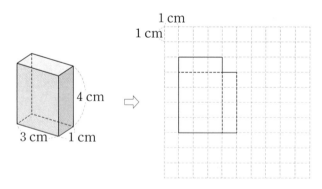

개념 체크 **1** ◀ 6학년 1학기 2단원

각기둥과 각뿔

· **각기둥**: ▨, ▨, ▨ 등과 같은
입체도형

· **각뿔**: △, △, △ 등과 같은
입체도형

· 각기둥과 각뿔은 밑면의 모양에 따라
이름이 정해집니다.

개념 체크 **2** ◀ 6학년 1학기 2단원

각뿔의 구성 요소

· **각뿔의 꼭짓점**: 꼭짓점 중에서도 옆면이
모두 만나는 점

· **높이**: 각뿔의 꼭짓점에서 밑면에 수직인
선분의 길이

개념 체크 **3** ◀ 6학년 1학기 2단원

각기둥의 전개도

· **각기둥의 전개도**: 각기둥의 모서리를 잘
라서 평면 위에 펼쳐 놓은 그림

· 각기둥의 전개도를 그릴 때에는 잘린
모서리는 실선으로, 잘리지 않은 모서
리는 점선으로 그립니다.

4 입체도형을 보고 빈칸에 알맞은 수를 써넣으세요.

가 　　나

도형	꼭짓점의 수(개)	면의 수(개)	모서리의 수(개)
가			
나			

개념 체크 **4** ◀ 6학년 1학기 2단원

각기둥과 각뿔의 구성 요소의 수

• ●각기둥에서
  (꼭짓점의 수)=●×2
  (면의 수)=●+2
  (모서리의 수)=●×3
• ◆각뿔에서
  (꼭짓점의 수)=◆+1
  (면의 수)=◆+1
  (모서리의 수)=◆×2

5 원주는 몇 cm일까요? (원주율: 3.14)

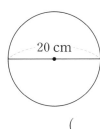

20 cm

(　　　　　　　)

개념 체크 **5** ◀ 6학년 2학기 5단원

원주 구하기

(원주)=(지름)×(원주율)

6 원의 넓이는 몇 cm²일까요? (원주율: 3)

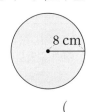

8 cm

(　　　　　　　)

개념 체크 **6** ◀ 6학년 2학기 5단원

원의 넓이 구하기

(원의 넓이)
=(원주율)×(반지름)×(반지름)

6

원기둥, 원뿔, 구

교과서 **개념**

원기둥은 어떤 도형인가요?

◎ 원기둥 알아보기

원기둥:  등과 같은 입체도형

◎ 원기둥의 구성 요소

밑면: 원기둥에서 서로 평행하고 합동인 두 면
옆면: 두 밑면과 만나는 면
높이: 두 밑면에 수직인 선분의 길이

> 원기둥의 밑면은
> 원 모양이고 ❷ 개입니다.
> 또 옆면은 굽은 면이에요.

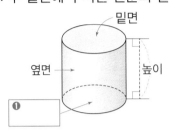

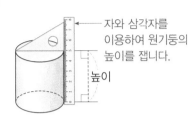
자와 삼각자를 이용하여 원기둥의 높이를 잽니다.

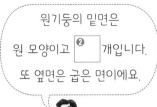

◆ 정답 ❶ 밑면 ❷ 2

[1～2] 입체도형을 보고 물음에 답하세요.

가   나   다   라   마

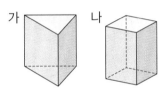

1 기준에 따라 분류해 보세요.

기준	각기둥 모양인 것	각기둥 모양이 아닌 것
기호		

2 다와 마 같은 입체도형을 무엇이라고 할까요?   (   )

[3～4] 원기둥의 밑면을 모두 찾아 색칠해 보세요.

3

4
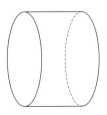

> 원기둥에서 서로 평행하고 합동인 두 면을 찾아봐요.

교과서 개념

원기둥의 전개도는 어떤 것인가요?

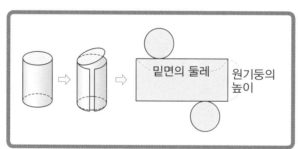

◎ 원기둥의 전개도 알아보기

원기둥의 전개도: 원기둥을 잘라서 펼쳐 놓은 그림

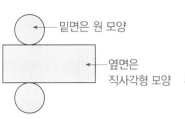

밑면은 원 모양

옆면은
직사각형 모양

밑면인 두 원은
합동이에요.

◎ 전개도의 각 부분의 길이

원기둥의 전개도에서 옆면의 가로의 길이는 밑면의 둘레와 같고, 옆면의 세로의 길이는 원기둥의 높이
와 같습니다.

옆면의 가로

밑면의 ❶

원기둥의 ❷

옆면의 세로

◇ 정답 ❶ 둘레 ❷ 높이

[1~3] 원기둥의 전개도이면 ◯표, 원기둥의 전개도가 아니면 ✕표 하세요.

1

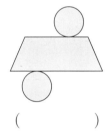

(   )

2

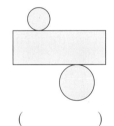

(   )

3

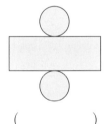

(   )

[4~5] 원기둥의 전개도를 보고 물음에 답하세요. (원주율: 3.14)

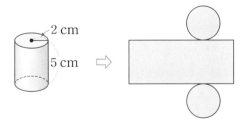

2 cm

5 cm

옆면의 가로의 길이는
밑면의 둘레와 같으므로
(밑면의 지름) ✕ (원주율)로
구할 수 있어요.

4 옆면의 세로의 길이는 몇 cm일까요?   (   )

5 옆면의 가로의 길이는 몇 cm일까요?   (   )

원기둥 알아보기

[01～04] 원기둥에 ○표 하세요.

01

(   )   (   )   (   )

02

(   )   (   )   (   )

03

(   )   (   )   (   )

04

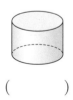

(   )   (   )   (   )

[05～06] 원기둥을 보고 □ 안에 각 부분의 이름을 써넣으세요.

05

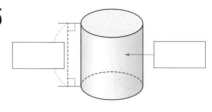

06

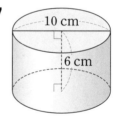

[07～08] 원기둥의 높이는 몇 cm인지 구하세요.

07

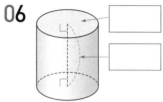

10 cm

6 cm

(   )

08

7 cm

5 cm

(   )

[09~10] 직사각형 모양의 종이를 한 변을 기준으로 돌려 만든 입체도형을 보고 각각의 길이는 몇 cm인지 구하세요.

09

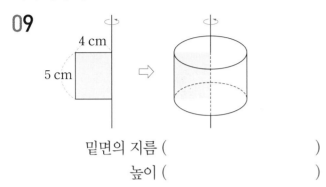

밑면의 지름 (   )

높이 (   )

10

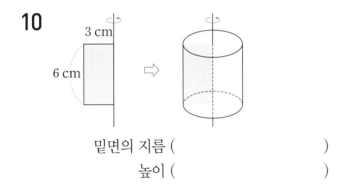

밑면의 지름 (   )

높이 (   )

원기둥의 전개도 알아보기

[11~13] 원기둥과 원기둥의 전개도를 보고 □ 안에 알맞은 수를 써넣으세요. (원주율: 3)

11

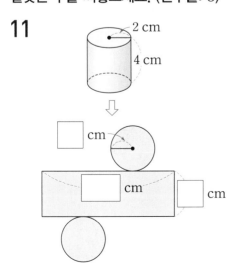

12

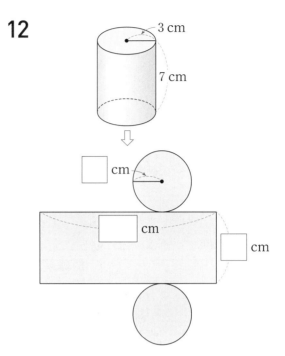

13

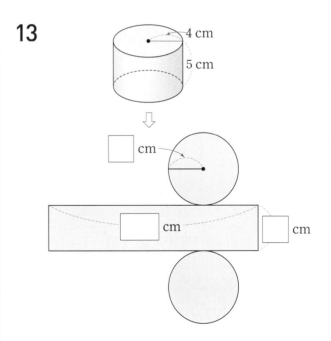

6

원기둥, 원뿔, 구

교과서 개념   원뿔은 어떤 도형인가요?

◎ 원뿔 알아보기

원뿔: 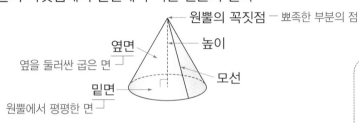 등과 같은 입체도형

◎ 원뿔의 구성 요소

모선: 원뿔에서 원뿔의 꼭짓점과 밑면인 원의 둘레의 한 점을 이은 선분

높이: 원뿔의 꼭짓점에서 밑면에 수직인 선분의 길이

원뿔의 꼭짓점 ─ 뾰족한 부분의 점

옆면

옆을 둘러싼 굽은 면

높이

모선

밑면

원뿔에서 평평한 면

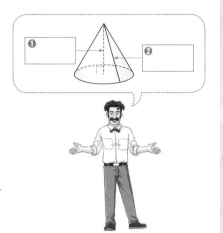

❶   ❷

◎ 원뿔의 높이, 모선의 길이, 밑면의 지름을 재는 방법

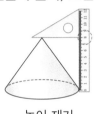      

높이 재기   모선의 길이 재기   밑면의 지름 재기
8 cm   10 cm   12 cm

🔄 정답   ❶ 높이   ❷ 모선

[1~3] 원뿔이면 ◯표, 원뿔이 아니면 ✕표 하세요.

1

(   )

2

(   )

3
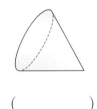
(   )

6

원기둥, 원뿔, 구

[4~6] 원뿔을 보고 □ 안에 알맞은 수를 써넣으세요.

4
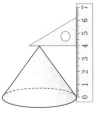
높이: ☐ cm

5

모선의 길이: ☐ cm

6
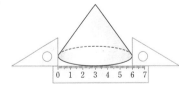
밑면의 지름: ☐ cm

교과서 개념

구는 어떤 도형인가요?

맛있다.

섬에서 바닷바람을 맞으며 거센 환경에서 자라서 그래요.

저건?

이렇게 완벽한 구 모양 바위가 있다니!

구라구요?

,  등과 같은 입체도형을 구라고 해.

구의 중심

구의 반지름

이 곳에서 이 바위도 처음 보는 건데?

그러고 보니 자주 오던 이 길이 오늘 따라 왠지 낯설어 보이지?

맞아요.

우르르

쾅

거기에 비까지!

갑자기 추워지는 것 같아.

우우우우

박사님!

꾸억

이런 분위기에 그런 콧노래가 나와요?

분위기를 좀 바꿔보려고 그랬지.

◎ 구 알아보기

구: , , 등과 같은 입체도형

◎ 구의 구성 요소

구의 중심: 구에서 가장 안쪽에 있는 점

구의 반지름: 구의 중심에서 구의 겉면의 한 점을 이은 선분

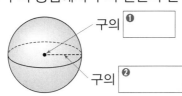

구의 ❶ [   ]

구의 ❷ [   ]

구는 어느 방향에서 보아도 원 모양이에요.

⟳ 정답 ❶ 중심 ❷ 반지름

1 구 모양의 물건을 모두 찾아 기호를 써 보세요.

가　　　나　　　다　　　라　　　마

(   )

2 구를 보고 □ 안에 각 부분의 이름을 써넣으세요.

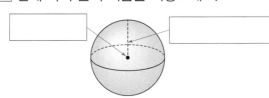

[   ]   [   ]

구의 반지름은 무수히 많고 그 길이는 모두 같아요.

[3~4] 반원 모양의 종이를 지름을 기준으로 돌리면 어떤 입체도형이 되는지 알아보려고 합니다. 물음에 답하세요.

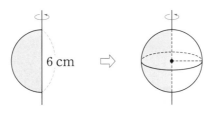

6 cm ⇨

3 어떤 입체도형이 될까요?　　　(   )

4 구의 반지름은 몇 cm일까요?　　　(   )

6

원기둥, 원뿔, 구

교과서 개념   여러 가지 모양을 어떻게 만드나요?

저 곳에서 잠깐 비를 피할까요?

두 가지 입체도형으로 만들어진 건물이군.

두 가지 입체도형이요?

우리 주변에서 원기둥, 원뿔, 구를 이용하여 만든 건축물을 쉽게 찾아볼 수 있어.

지붕은 원뿔 모양이고 나머지 부분은 원기둥 모양으로 만들어진 건축물입니다.

비가 너무 많이 내려서 저 곳까지 가는 건 무리예요.

여기 동굴이 있어요.

이 곳에 동굴이 있었다니.

그러게 말이에요.

박사님, 여긴 아프리카의 그 동굴과 비슷해요.

그…… 그럼!

아프리카로 되돌아갈 수 있는 거야?

난 내가 있어야 할 곳으로 돌아가는 것 뿐이야.

네?? 아프리카라니요!

그리울 거야.

잘 가요. 박사님, 누나.

고마웠단다.

◎ 여러 가지 모양 만들기

• 원기둥을 이용하여 건축물과 같은 모양 만들기

 ⇨ ❶(원기둥 , 원뿔 , 구) 모양 3개로 만들어진 건축물입니다. ⇨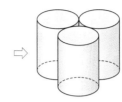

• 원기둥과 원뿔을 이용하여 건축물과 같은 모양 만들기

 ⇨ 원뿔 모양과 ❷(원기둥 , 원뿔 , 구) 모양으로 만들어진 건축물입니다. ⇨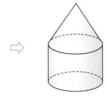

◆ 정답 ❶ 원기둥에 ◯표 ❷ 원기둥에 ◯표

[1~3] 다음 건축물은 어떤 모양인지 알맞은 것에 ◯표 하세요.

1

(원기둥 , 원뿔 , 구)

2

(원기둥 , 원뿔 , 구)

3

(원기둥 , 원뿔 , 구)

4 어떤 건축물을 보고 만든 모양인지 알맞은 것끼리 선을 이어 보세요.

•   •   •

•   •   •

원뿔 알아보기

01 원뿔을 모두 찾아 기호를 써 보세요.

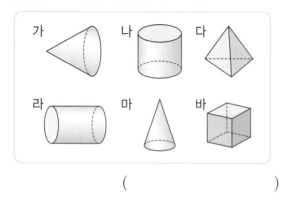

( )

[02~04] 원뿔을 보고 □ 안에 각 부분의 이름을 써 넣으세요.

02

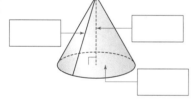

03

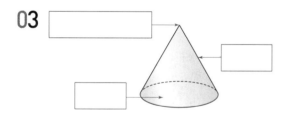

04

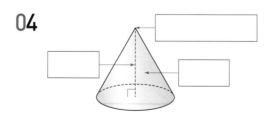

[05~07] 원뿔을 보고 각각의 길이는 몇 cm인지 구하세요.

05

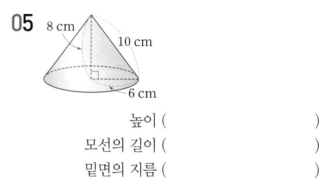

높이 ( )

모선의 길이 ( )

밑면의 지름 ( )

06

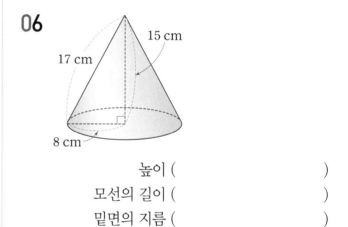

높이 ( )

모선의 길이 ( )

밑면의 지름 ( )

07

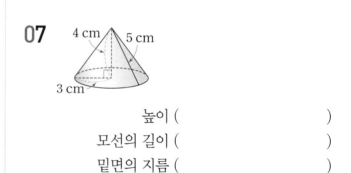

높이 ( )

모선의 길이 ( )

밑면의 지름 ( )

[08~10] 직각삼각형 모양의 종이를 한 변을 기준으로 돌려 만든 입체도형을 보고 각각의 길이는 몇 cm인지 구하세요.

08

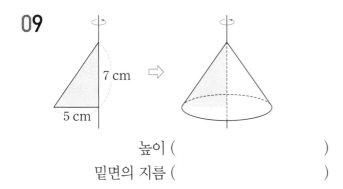

높이 (   )

밑면의 지름 (   )

09

높이 (   )

밑면의 지름 (   )

10

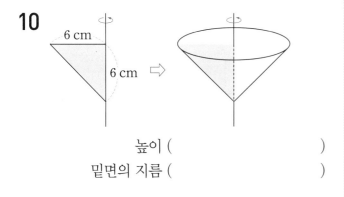

높이 (   )

밑면의 지름 (   )

구 알아보기

11 구이면 ◯표, 아니면 ×표 하세요.

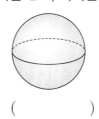 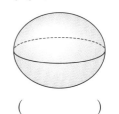

(   )   (   )

[12~14] 반원 모양의 종이를 지름을 기준으로 돌려 만든 입체도형의 반지름은 몇 cm인지 구하세요.

12

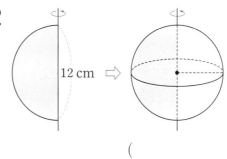

(   )

13

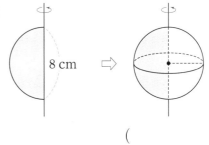

(   )

14

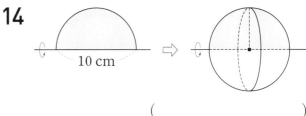

(   )

6

원기둥, 원뿔, 구

01 보기 에서 □ 안에 알맞은 말을 찾아 써넣으세요.

보기
옆면   밑면   높이

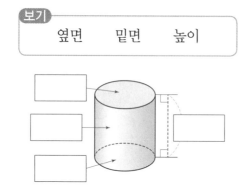

Tip

• 밑면: 원기둥에서 서로 평행
하고 합동인 두 면
옆면: 두 밑면과 만나는 면
높이: 두 밑면에 수직인 선분의
길이

02 원기둥을 모두 찾아 기호를 써 보세요.

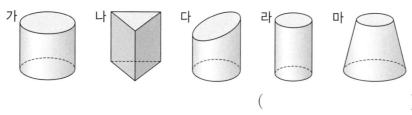

가   나   다   라   마

(   )

• 옆을 둘러싼 면이 굽은 면이
고 위와 아래에 있는 평평한
면이 서로 평행하고 합동인
원 모양인 것을 찾아봅니다.

03 원기둥을 만들 수 있는 전개도를 찾아 기호를 써 보세요.

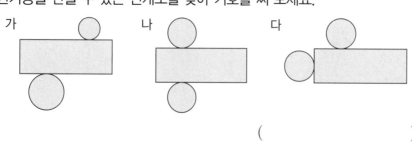

가   나   다

(   )

밑면은 합동인 원 모양인지
옆면은 직사각형 모양인지
살펴봐요.

04 원뿔을 모두 찾아 기호를 써 보세요.

가 　나 　다 　라 　마

(　　　　　　　)

Tip

05 보기 에서 □ 안에 알맞은 말을 찾아 써넣으세요.

보기
밑면　원뿔의 꼭짓점　모선　높이　옆면

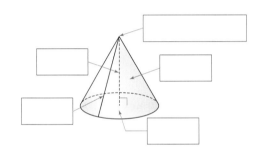

• 원뿔에서 꼭짓점과 밑면인 원의 둘레의 한 점을 이은 선분을 모선이라고 합니다.

06 입체도형을 보고 알맞은 말이나 수를 써넣으세요.

도형	밑면의 모양	밑면의 수(개)	위에서 본 모양	앞에서 본 모양
			육각형	삼각형
	원			

각뿔과 원뿔을 위에서 본 모양은 밑면의 모양과 같아요.

6

원기둥, 원뿔, 구

07 반원 모양의 종이를 지름을 기준으로 돌렸을 때 만들어지는 입체도형을 찾아 기호를 써 보세요.

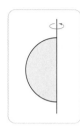   가 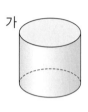   나 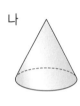   다

(   )

[08~09] 입체도형을 위, 앞, 옆에서 본 모양을 보기 에서 골라 그려 보세요.

보기

08

입체도형	위에서 본 모양	앞에서 본 모양	옆에서 본 모양

구는 어느 방향에서 보아도 항상 원 모양이에요.

09

입체도형	위에서 본 모양	앞에서 본 모양	옆에서 본 모양

원기둥을 앞과 옆에서 본 모양은 항상 직사각형 모양이에요.

10 원기둥과 원기둥의 전개도를 보고 □ 안에 알맞은 수를 써넣으세요.

(원주율: 3.1)

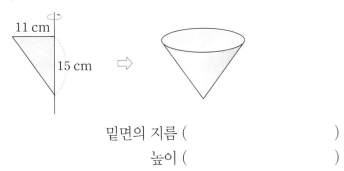

 Tip

• (옆면의 가로의 길이)
 =(밑면의 둘레)
 (옆면의 세로의 길이)
 =(원기둥의 높이)

11 직각삼각형 모양의 종이를 한 변을 기준으로 돌려 만든 입체도형을 보고 밑면의 지름과 높이는 각각 몇 cm인지 구하세요.

밑면의 지름 (   )

높이 (   )

• (높이)
 =(돌리기 전의 직각삼각형의 높이)
 (밑면의 지름)
 =(돌리기 전의 직각삼각형의 밑변의 길이)×2

12 원기둥 모형을 관찰하며 나눈 대화를 보고 밑면의 지름과 높이는 각각 몇 cm인지 구하세요.

위에서 본 모양은 반지름이 7 cm인 원이야.

앞에서 본 모양은 정사각형이야.

밑면의 지름 (   )

높이 (   )

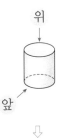

위
앞

위에서 본 모양은 원

7 cm

앞에서 본 모양은 정사각형

14 cm
14 cm

6

원기둥, 원뿔, 구

[01~03] 입체도형을 보고 물음에 답하세요.

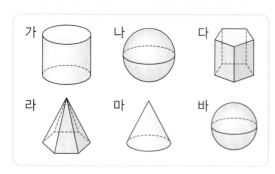

가 나 다 라 마 바

01 원기둥을 찾아 기호를 써 보세요.

( )

02 원뿔을 찾아 기호를 써 보세요.

( )

03 구를 모두 찾아 기호를 써 보세요.

( )

04 다음과 같이 원기둥을 잘라서 펼쳐 놓은 그림을 무엇이라고 할까요?

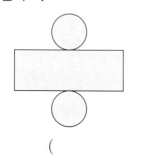

( )

05 원기둥에서 각 부분의 이름을 □ 안에 알맞게 써넣으세요.

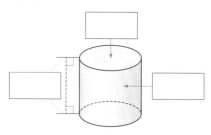

06 원뿔의 모선은 어느 것일까요?·········· ( )

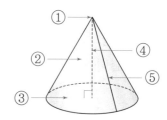

[07~08] 구를 보고 물음에 답하세요.

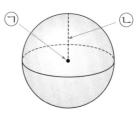

07 ㉠과 같이 구에서 가장 안쪽에 있는 점을 무엇이라고 할까요?

( )

08 ㉡과 같이 구의 중심에서 구의 겉면의 한 점을 이은 선분을 무엇이라고 할까요?

( )

09 원기둥을 만들 수 <u>없는</u> 전개도를 모두 고르세요.

( )

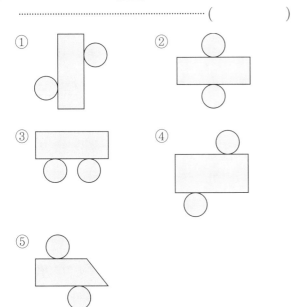

10 원뿔의 어느 부분을 재는 것인지 이어 보세요.

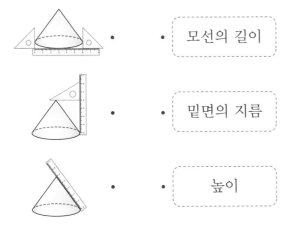

- 모선의 길이
- 밑면의 지름
- 높이

11 원기둥의 높이는 몇 cm일까요?

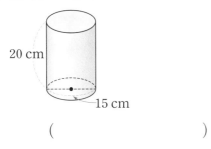

20 cm

15 cm

( )

[12~13] 다음 모양의 종이를 한 변을 기준으로 돌렸을 때 만들어지는 입체도형의 이름을 써 보세요.

12

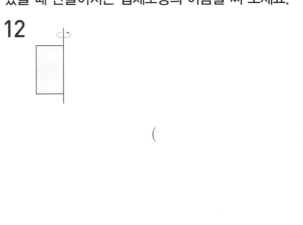

( )

13

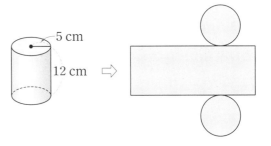

( )

[14~15] 원기둥과 원기둥의 전개도입니다. 물음에 답하세요.

5 cm

12 cm

14 옆면의 가로의 길이는 몇 cm일까요?

(원주율: 3.14)

( )

15 옆면의 세로의 길이는 몇 cm일까요?

( )

6

원기둥, 원뿔, 구

16 반원 모양의 종이를 지름을 기준으로 돌려 만든 입체도형의 반지름은 몇 cm일까요?

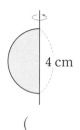

4 cm

( )

17 다음 그림이 원기둥의 전개도가 아닌 이유를 써 보세요.

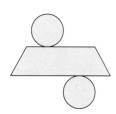

이유 _____

_____

18 원기둥의 전개도를 그려 보세요. (원주율: 3)

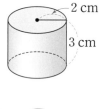

2 cm

3 cm

1 cm
1 cm

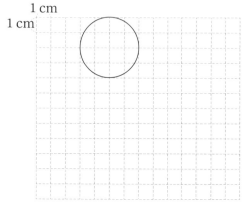

19 원뿔을 위, 앞, 옆에서 본 모양을 보기 에서 골라 그려 보세요.

보기

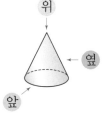

위

옆

앞

위에서 본 모양	앞에서 본 모양	옆에서 본 모양

20 주어진 입체도형에 대한 설명이 맞으면 ○표, 틀리면 ×표 하세요.

• 원뿔만 뾰족한 부분이 있습니다.

·····························( )

• 구의 밑면은 원 모양입니다.

·····························( )

• 가장 잘 굴러 가는 입체도형은 구입니다.

·····························( )

스스로 학습장은 이 단원에서 배운 것을 확인하는 코너입니다.
몰랐던 것은 꼭 다시 공부해서 내 것으로 만들어 보아요.

• 스피드 정답표 15쪽, 정답 48쪽

※ ☐ 안에 알맞은 수나 말을 써넣으세요.

1

나는 ☐ 입니다.

☐ 모양의 종이를 한 변을 기준으로 돌리면 만들 수 있어요.

6 cm

4 cm

옆면은 굽은 면이고 밑면은 ☐ 모양으로 ☐ 개입니다.

나의 높이는 ☐ cm예요.

2

나는 ☐ 입니다.

☐ 모양의 종이를 한 변을 기준으로 돌리면 만들 수 있어요.

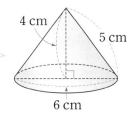

4 cm   5 cm

6 cm

옆면은 굽은 면이고 밑면은 ☐ 모양으로 ☐ 개입니다.

나의 밑면의 지름은 ☐ cm,

모선의 길이는 ☐ cm예요.

3

나는 ☐ 입니다.

☐ 모양의 종이를 지름을 기준으로 돌리면 만들 수 있어요.

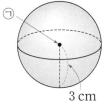

㉠

3 cm

구에서 ㉠과 같이 가장 안쪽에 있는 점을 ☐ 이라고 해요.

나의 반지름은 ☐ cm예요.

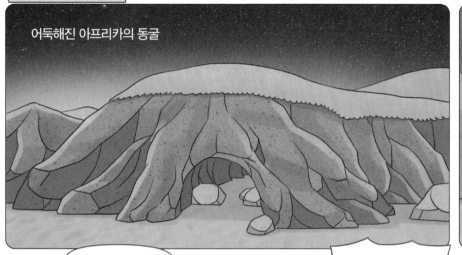

어둑해진 아프리카의 동굴

으~ 여긴.

수잔! 수잔!

두리번

두리번

어? 이 그림자는?
사…… 사자다!

박사님 이제 정신이
드셨어요?

헉

깜짝 놀랐잖아~.

이제 사자는 없어요.

다행이군. 어차피
내가 물리쳤을 테지만!

허풍은 여전하셔.

아깝군. 나의 용맹함을
보여줄 수 있었는데.

그런데 제가
이상한 꿈을 꿨어요.

이상한 꿈이라니?

미래의 어느 섬에
다녀온 꿈이요.

꿈이라고 생각해요?

꿈이 아니라 정말
일어난 일이었어.

네? 정말이요?

이걸 보면 꿈이 아니었다는
걸 알 수 있지요.

뒤적

뒤적

?!

슈바이처는 1875년 독일과 프랑스 국경 지역에서 목사의 둘째로 태어났습니다.

1900년 신학 박사가 된 슈바이처는 30세가 되던 1905년 어려운 사람을 돕는 의사가 되기 위해 의학 공부를 시작합니다.

나는 이렇게 가족들과 행복한 삶을 사는데 이러한 행복을 나만 누려도 되는 걸까?

의사가 된 슈바이처는 1913년 아내와 함께 아프리카의 랑바레네에서 의료봉사를 시작합니다.

이후 자금 부족으로 병원 운영이 어렵게 되자, 모금을 위하여 유럽으로 돌아왔지만 제 1차 세계대전이 일어나 모금 활동을 중단할 수 밖에 없었습니다.

전쟁이 끝난 후 유럽을 돌아다니며 다시 모금 활동을 하고 1924년 랑바레네로 돌아와 동료 의사, 간호사와 함께 의료봉사에 전념하였습니다.

의료봉사 뿐 아니라 한센병 환자의 거주지 및 장애인들을 위한 의료시설도 만든 슈바이처는 1952년에 노벨 평화상을 받게 됩니다.

노벨 평화상

슈바이처가 90세쯤 건강은 나빠졌고 1965년 9월 4일 아프리카 랑바레네에서 많은 사람의 애도 속에서 조용히 눈을 감았습니다.

작은 생명이라도 소중히 여겨야 한다고 주장한 슈바이처는 진정한 사랑이 무엇인지를 알리는 아프리카의 아버지였습니다.

모든 생명은 거룩하며, 희생되어도 되는 생명은 없습니다.

배움으로 행복한 내일을 꿈꾸는
천재교육 커뮤니티 안내

교재 안내부터 구매까지 한 번에!
천재교육 홈페이지

자사가 발행하는 참고서, 교과서에 대한 소개는 물론
도서 구매도 할 수 있습니다. 회원에게 지급되는 별을 모아
다양한 상품 응모에도 도전해 보세요!

다양한 교육 꿀팁에 깜짝 이벤트는 덤!
천재교육 인스타그램

천재교육의 새롭고 중요한 소식을 가장 먼저 접하고 싶다면?
천재교육 인스타그램 팔로우가 필수!
깜짝 이벤트도 수시로 진행되니 놓치지 마세요!

수업이 편리해지는
천재교육 ACA 사이트

오직 선생님만을 위한, 천재교육 모든 교재에 대한 정보가 담긴
아카 사이트에서는 다양한 수업자료 및 부가 자료는 물론
시험 출제에 필요한 문제도 다운로드하실 수 있습니다.

https://aca.chunjae.co.kr

천재교육을 사랑하는 샘들의 모임
천사샘

학원 강사, 공부방 선생님이시라면 누구나 가입할 수 있는 천사샘!
교재 개발 및 평가를 통해 교재 검토진으로 참여할 수 있는 기회는 물론
다양한 교사용 교재 증정 이벤트가 선생님을 기다립니다.

아이와 함께 성장하는 학부모들의 모임공간
튠맘 학습연구소

튠맘 학습연구소는 초·중등 학부모를 대상으로 다양한 이벤트와 함께
교재 리뷰 및 학습 정보를 제공하는 네이버 카페입니다.
초등학생, 중학생 자녀를 둔 학부모님이라면 튠맘 학습연구소로 오세요!

개념클릭

정답 및 풀이

초등
수학

6·2

천재교육

정답 및 풀이
포인트 3가지

▶ 빠르게 정답을 확인하는 스피드 정답

▶ 혼자서도 이해할 수 있는 친절한 문제 풀이

▶ 문제 해결에 필요한 핵심 내용 또는
　틀리기 쉬운 내용을 담은 참고와 주의

1. 분수의 나눗셈

10~11쪽 준비 학습

1 (위부터) 8, 15, 8, 15, 23, 5, 23

2 $4\dfrac{5}{24}$ cm

3 $1\dfrac{2}{3} \times 2\dfrac{4}{5} = \dfrac{\boxed{5}}{3} \times \dfrac{\boxed{14}}{5} = \dfrac{\boxed{14}}{3} = \boxed{4}\dfrac{\boxed{2}}{\boxed{3}}$

4 $\dfrac{4}{9}$　　　　**5** $\dfrac{5}{9}$ m

6 ⑩ $3\dfrac{6}{7} \div 2 = \dfrac{27}{7} \div 2 = \dfrac{27}{7} \times \dfrac{1}{2} = \dfrac{27}{14} = 1\dfrac{13}{14}$

7 $\dfrac{2}{3} \times \dfrac{1}{5} = \dfrac{2}{15}$; $\dfrac{2}{15}$

13쪽 1 단계 교과서 개념

1 (1) 4, 2　(2) 7, 1, 7

2 2　　　　**3** 8　　　　**4** 3

5 3　　　　**6** 3　　　　**7** 4

15쪽 1 단계 교과서 개념

1 $\dfrac{7}{8} \div \dfrac{3}{8} = \boxed{7} \div \boxed{3} = \dfrac{\boxed{7}}{\boxed{3}} = \boxed{2\dfrac{1}{3}}$

2 $\dfrac{8}{9} \div \dfrac{5}{9} = \boxed{8} \div \boxed{5} = \dfrac{\boxed{8}}{\boxed{5}} = \boxed{1\dfrac{3}{5}}$

3 $\dfrac{10}{13} \div \dfrac{3}{13} = \boxed{10} \div \boxed{3} = \dfrac{\boxed{10}}{\boxed{3}} = \boxed{3\dfrac{1}{3}}$

4 $\dfrac{7}{13} \div \dfrac{4}{13} = \boxed{7} \div \boxed{4} = \dfrac{\boxed{7}}{\boxed{4}} = \boxed{1\dfrac{3}{4}}$

5 $\dfrac{5}{12} \div \dfrac{7}{12} = 5 \div 7 = \dfrac{5}{7}$

6 $\dfrac{9}{14} \div \dfrac{2}{14} = 9 \div 2 = \dfrac{9}{2} = 4\dfrac{1}{2}$

7 $\dfrac{13}{15} \div \dfrac{4}{15} = 13 \div 4 = \dfrac{13}{4} = 3\dfrac{1}{4}$

8 $\dfrac{7}{17} \div \dfrac{16}{17} = 7 \div 16 = \dfrac{7}{16}$

16~17쪽 2 단계 개념 집중 연습

01 4, 2, 2　　**02** 8, 2, 4　　**03** 2, 1, 2

04 15, 3, 5　　**05** 9, 3, 3　　**06** 2

07 2　　　　　**08** 4　　　　　**09** 4

10 3

11 $\dfrac{3}{8} \div \dfrac{7}{8} = \boxed{3} \div \boxed{7} = \dfrac{\boxed{3}}{\boxed{7}}$

12 $\dfrac{5}{6} \div \dfrac{3}{6} = \boxed{5} \div \boxed{3} = \dfrac{\boxed{5}}{\boxed{3}} = \boxed{1\dfrac{2}{3}}$

13 $\dfrac{9}{10} \div \dfrac{8}{10} = \boxed{9} \div \boxed{8} = \dfrac{\boxed{9}}{\boxed{8}} = \boxed{1\dfrac{1}{8}}$

14 $\dfrac{5}{9} \div \dfrac{4}{9} = \boxed{5} \div \boxed{4} = \dfrac{\boxed{5}}{\boxed{4}} = \boxed{1\dfrac{1}{4}}$

15 $\dfrac{6}{7} \div \dfrac{5}{7} = \boxed{6} \div \boxed{5} = \dfrac{\boxed{6}}{\boxed{5}} = \boxed{1\dfrac{1}{5}}$

16 $\dfrac{3}{4}$　　　**17** $1\dfrac{1}{7}\left(=\dfrac{8}{7}\right)$　　**18** $\dfrac{3}{5}$

19 $1\dfrac{1}{2}\left(=\dfrac{3}{2}\right)$　　**20** $1\dfrac{2}{5}\left(=\dfrac{7}{5}\right)$

19쪽 1 단계 교과서 개념

1 16, 16, $\dfrac{3}{16}$　　　　**2** $1\dfrac{1}{9}\left(=\dfrac{10}{9}\right)$

3 $1\dfrac{1}{15}\left(=\dfrac{16}{15}\right)$　　　**4** $1\dfrac{1}{6}\left(=\dfrac{7}{6}\right)$

5 $1\dfrac{13}{35}\left(=\dfrac{48}{35}\right)$　　　**6** $1\dfrac{7}{11}\left(=\dfrac{18}{11}\right)$

7 $\dfrac{16}{63}$

21쪽   1 단계 교과서 개념

1 4, 5, 10   **2** 3, 5, 15

3 2, 3, 12   **4** 2, 5, 25

5 $10 \div \dfrac{5}{9} = (10 \div 5) \times 9 = 18$

6 $9 \div \dfrac{3}{7} = (9 \div 3) \times 7 = 21$

22~23쪽   2 단계 개념 집중 연습

01 $\dfrac{5}{6} \div \dfrac{3}{7} = \dfrac{\boxed{35}}{42} \div \dfrac{\boxed{18}}{42}$

$= \boxed{35} \div \boxed{18} = \dfrac{\boxed{35}}{18} = \boxed{1\dfrac{17}{18}}$

02 $\dfrac{3}{5} \div \dfrac{7}{15} = \dfrac{\boxed{9}}{15} \div \dfrac{\boxed{7}}{15} = \boxed{9} \div \boxed{7} = \dfrac{\boxed{9}}{7} = \boxed{1\dfrac{2}{7}}$

03 $\dfrac{7}{9} \div \dfrac{5}{6} = \dfrac{\boxed{14}}{18} \div \dfrac{\boxed{15}}{18} = \boxed{14} \div \boxed{15} = \dfrac{\boxed{14}}{\boxed{15}}$

04 $\dfrac{2}{3} \div \dfrac{3}{5} = \dfrac{\boxed{10}}{15} \div \dfrac{\boxed{9}}{15}$

$= \boxed{10} \div \boxed{9} = \dfrac{\boxed{10}}{9} = \boxed{1\dfrac{1}{9}}$

05 예 $\dfrac{3}{10} \div \dfrac{4}{7} = \dfrac{21}{70} \div \dfrac{40}{70} = 21 \div 40 = \dfrac{21}{40}$

06 예 $\dfrac{9}{10} \div \dfrac{3}{8} = \dfrac{36}{40} \div \dfrac{15}{40} = 36 \div 15 = 2\dfrac{2}{5}\left(=\dfrac{12}{5}\right)$

07 예 $\dfrac{11}{16} \div \dfrac{5}{12} = \dfrac{33}{48} \div \dfrac{20}{48} = 33 \div 20 = 1\dfrac{13}{20}\left(=\dfrac{33}{20}\right)$

08 예 $\dfrac{7}{10} \div \dfrac{3}{5} = \dfrac{7}{10} \div \dfrac{6}{10} = 7 \div 6 = 1\dfrac{1}{6}\left(=\dfrac{7}{6}\right)$

09 예 $\dfrac{5}{14} \div \dfrac{2}{21} = \dfrac{15}{42} \div \dfrac{4}{42} = 15 \div 4 = 3\dfrac{3}{4}\left(=\dfrac{15}{4}\right)$

10 2, 5, 10   **11** 4, 7, 21   **12** 3, 5, 20

13 3, 7, 21   **14** 7, 8, 16   **15** 35

16 35   **17** 27   **18** 22

25쪽   1 단계 교과서 개념

1 3, 15, $1\dfrac{1}{14}$ **2** 9, 27, $1\dfrac{7}{20}$ **3** 25, $2\dfrac{7}{9}$

4 $1\dfrac{5}{7}\left(=\dfrac{12}{7}\right)$ **5** $2\dfrac{2}{27}\left(=\dfrac{56}{27}\right)$

27쪽   1 단계 교과서 개념

1 (1) 8, 8, $1\dfrac{7}{8}$ (2) 3, 15, $1\dfrac{7}{8}$

2 (1) 20, 28, 20, 20, 4, $1\dfrac{3}{4}$ (2) 7, 7, $1\dfrac{3}{4}$

3 $2\dfrac{2}{5}\left(=\dfrac{12}{5}\right)$ **4** $2\dfrac{7}{9}\left(=\dfrac{25}{9}\right)$

5 $4\dfrac{2}{5}\left(=\dfrac{22}{5}\right)$ **6** $1\dfrac{4}{5}\left(=\dfrac{9}{5}\right)$

28~29쪽   2 단계 개념 집중 연습

01 $\dfrac{6}{7} \div \dfrac{4}{9} = \dfrac{6}{7} \times \dfrac{\boxed{9}}{\boxed{4}} = \dfrac{\boxed{27}}{14} = \boxed{1\dfrac{13}{14}}$

02 $\dfrac{2}{5} \div \dfrac{7}{10} = \dfrac{2}{5} \times \dfrac{\boxed{10}}{\boxed{7}} = \dfrac{\boxed{4}}{7}$

03 $\dfrac{3}{4} \div \dfrac{3}{10} = \dfrac{3}{4} \times \dfrac{\boxed{10}}{\boxed{3}} = \dfrac{\boxed{5}}{2} = \boxed{2\dfrac{1}{2}}$

04 $\dfrac{2}{7} \div \dfrac{2}{5} = \dfrac{2}{7} \times \dfrac{\boxed{5}}{\boxed{2}} = \dfrac{\boxed{5}}{7}$

05 $\dfrac{5}{9} \div \dfrac{2}{3} = \dfrac{5}{9} \times \dfrac{\boxed{3}}{\boxed{2}} = \dfrac{\boxed{5}}{6}$

06 $7\dfrac{1}{2}\left(=\dfrac{15}{2}\right)$ **07** $6\dfrac{2}{3}\left(=\dfrac{20}{3}\right)$

08 $17\dfrac{1}{2}\left(=\dfrac{35}{2}\right)$ **09** $10\dfrac{2}{7}\left(=\dfrac{72}{7}\right)$

10 $15\dfrac{3}{4}\left(=\dfrac{63}{4}\right)$ **11** $2\dfrac{7}{10}\left(=\dfrac{27}{10}\right)$

12 $5\dfrac{5}{6}\left(=\dfrac{35}{6}\right)$ **13** $3\dfrac{1}{3}\left(=\dfrac{10}{3}\right)$

14 $2\frac{2}{15}\left(=\frac{32}{15}\right)$ **15** $10\frac{1}{8}\left(=\frac{81}{8}\right)$

16 $8\frac{8}{9}\left(=\frac{80}{9}\right)$ **17** $2\frac{3}{16}\left(=\frac{35}{16}\right)$

18 $4\frac{2}{3}\left(=\frac{14}{3}\right)$ **19** $4\frac{1}{16}\left(=\frac{65}{16}\right)$

20 $5\frac{1}{4}\left(=\frac{21}{4}\right)$

30~33쪽   **3 단계 익힘책 익히기**

01 5, 5   **02** 4, 2, 2   **03** 5

04 $\frac{7}{11}\div\frac{3}{11}=\boxed{7}\div\boxed{3}=\frac{\boxed{7}}{\boxed{3}}=2\frac{1}{3}$

05 9

06 $\frac{3}{5}\div\frac{2}{3}=\frac{\boxed{9}}{15}\div\frac{\boxed{10}}{15}=\boxed{9}\div\boxed{10}=\frac{\boxed{9}}{\boxed{10}}$

07 $=$ **08**

09 2, 5, 20   **10** ㉡, ㉠, ㉢

11 $\frac{3}{7}\div\frac{2}{5}=\frac{3}{7}\times\frac{1}{\boxed{2}}\times\boxed{5}=\frac{3}{7}\times\frac{\boxed{5}}{\boxed{2}}$

12 (1) $1\frac{1}{6}\left(=\frac{7}{6}\right)$ (2) $1\frac{1}{27}\left(=\frac{28}{27}\right)$

13 잘못된 이유 예 대분수를 가분수로 바꾸어 계산해야 합니다.

옳은 계산 예 $1\frac{2}{5}\div\frac{7}{8}=\frac{\overset{1}{\cancel{7}}}{5}\times\frac{8}{\underset{1}{\cancel{7}}}=\frac{8}{5}=1\frac{3}{5}$

14 $1\frac{17}{60}\left(=\frac{77}{60}\right)$ m   **15** 14개

34~36쪽   **4 단계 단원 평가**

01 5   **02** 10, 5, 2   **03** 5, 20

04 $\frac{8}{5}$, 7, $1\frac{2}{5}$ **05** $\frac{7}{9}$ **06** $\frac{9}{20}$

---

07 $\frac{8}{9}\div\frac{3}{7}=\frac{8}{9}\times\frac{1}{\boxed{3}}\times\boxed{7}=\frac{8}{9}\times\frac{\boxed{7}}{\boxed{3}}$

08 $3\frac{3}{4}\div\frac{2}{7}=\frac{15}{4}\div\frac{2}{7}=\frac{15}{4}\times\frac{7}{2}=\frac{105}{8}=13\frac{1}{8}$

09 $6\frac{9}{10}\left(=\frac{69}{10}\right)$ **10** $6\frac{1}{15}\left(=\frac{91}{15}\right)$

11 $1\frac{1}{4}\left(=\frac{5}{4}\right)$ **12** <   **13** <

14 ㉡   **15** ㉢

16 ╳   **17** $3\frac{23}{24}\left(=\frac{95}{24}\right)$ kg

18 방법 1 예 $2\frac{4}{5}\div\frac{2}{7}=\frac{14}{5}\div\frac{2}{7}=\frac{98}{35}\div\frac{10}{35}$

$=98\div10=\frac{\overset{49}{\cancel{98}}}{\underset{5}{\cancel{10}}}=\frac{49}{5}=9\frac{4}{5}$

방법 2 예 $2\frac{4}{5}\div\frac{2}{7}=\frac{14}{5}\div\frac{2}{7}=\frac{\overset{7}{\cancel{14}}}{5}\times\frac{7}{\underset{1}{\cancel{2}}}=\frac{49}{5}=9\frac{4}{5}$

19 10개   **20** $8\frac{7}{10}\left(=\frac{87}{10}\right)$ cm

---

37쪽   **스스로 학습장**

1 예 $\frac{8}{9}\div\frac{2}{9}=8\div2=4$

2 예 $\frac{7}{9}\div\frac{4}{9}=7\div4=\frac{7}{4}=1\frac{3}{4}$

3 예 $\frac{9}{14}\div\frac{2}{3}=\frac{9}{14}\times\frac{3}{2}=\frac{27}{28}$

4 예 $5\frac{1}{4}\div\frac{2}{3}=\frac{21}{4}\div\frac{2}{3}=\frac{21}{4}\times\frac{3}{2}=\frac{63}{8}=7\frac{7}{8}$

5 예 $2\frac{3}{4}\div\frac{1}{5}=\frac{11}{4}\times5=\frac{55}{4}=13\frac{3}{4}$

6 예 $1\frac{3}{8}\div\frac{3}{4}=\frac{11}{8}\div\frac{3}{4}=\frac{11}{\underset{2}{\cancel{8}}}\times\frac{\overset{1}{\cancel{4}}}{3}=\frac{11}{6}=1\frac{5}{6}$

7 예 $6\div\frac{3}{8}=\overset{2}{\cancel{6}}\times\frac{8}{\underset{1}{\cancel{3}}}=16$

8 예 $4\div\frac{3}{5}=4\times\frac{5}{3}=\frac{20}{3}=6\frac{2}{3}$

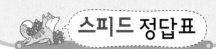
2. 소수의 나눗셈

40~41쪽 　준비 학습

1 (1) 6.8 　(2) 101.5 　　**2** (1) 7.59 　(2) 0.759

3 방법1 예 $\dfrac{6}{7} \div 3 = \dfrac{6 \div 3}{7} = \dfrac{2}{7}$

　　방법2 예 $\dfrac{6}{7} \div 3 = \dfrac{\overset{2}{\cancel{6}}}{7} \times \dfrac{1}{\underset{1}{\cancel{3}}} = \dfrac{2}{7}$

4 37, 3.7 　　　　　　　**5** 10.4

6 (1) $\dfrac{3}{5}$ 　(2) $\dfrac{3}{8}$ 　　　**7** (1) 0.84 　(2) 0.61

8 10.6

43쪽 　1 단계 교과서 개념

1 144, 6, 144, 144, 24
2 612, 6, 612, 612, 102

45쪽 　1 단계 교과서 개념

1 318, 6, 53 ; 53 　　　**2** 84, 12, 7 ; 7
3 484, 4, 121 ; 121 　　**4** 115, 5, 23 ; 23
5 399, 3, 133 ; 133 　　**6** 105, 15, 7 ; 7

47쪽 　1 단계 교과서 개념

1 (1) 5, 13 　(2) 13, 13 　(3) 1, 3, 15, 15
2 14 　　　　**3** 16 　　　　**4** 17
5 17 　　　　**6** 13 　　　　**7** 17

48~49쪽 　2 단계 개념 집중 연습

01 168, 7, 168, 168, 24
02 824, 8, 824, 824, 103
03 7, 51 ; 51 　　　　**04** 441, 9, 49 ; 49
05 448, 32, 14 ; 14 　　**06** 756, 21, 36 ; 36

07 3, 24, 3, 8 　　　　**08** 7, 28, 7, 4
09 8, 56, 8, 7 　　　　**10** 7, 49, 7, 7
11 2, 14, 2, 7 　　　　**12** 12
13 4 　　　　　　　　**14** 36
15 5 　　　　　　　　**16** 11

51쪽 　1 단계 교과서 개념

1 (1) 12, 28 　(2) 28, 28 　(3) 2, 8, 24, 96, 96
2 27 　　　　**3** 6 　　　　**4** 7
5 8 　　　　**6** 5 　　　　**7** 12

53쪽 　1 단계 교과서 개념

1 (1) 3.4, 3.4 　(2) 3, 4, 69, 92, 92
2 (1) 7.2, 7.2 　(2) 7, 2, 280, 0, 80
3 3.3 　　　　**4** 5.2 　　　　**5** 6.7

55쪽 　1 단계 교과서 개념

1 (1) 56, 840, 56, 15 　(2) 15, 15 　(3) 5, 56, 280
2 22 　　　　**3** 4 　　　　**4** 5
5 32 　　　　**6** 25

56~57쪽 　2 단계 개념 집중 연습

01 308, 14, 308, 14, 22 　**02** 161, 23, 161, 23, 7
03 43 　　　　　　　　**04** 28
05 (위부터) 6.7, 6.7 ; 100 　**06** (위부터) 2.3, 2.3 ; 100
07 (위부터) 1.8, 1.8 ; 10
08 (위부터) 10 ; 3.4, 3.4 ; 10
09 6.5 　　　　　　　　**10** 3.4
11 3.6 　　　　　　　　**12** 1.7
13 360, 360, 45, 8 　　　**14** 1000, 1000, 125, 8
15 5 　　　　　　　　**16** 50

59쪽   **1** 단계 교과서 **개념**

1 (1) 1.7   (2) 0.8
2 (1) 0.2   (2) 2.6   (3) 0.4
3 (1) 4.57   (2) 1.53   (3) 5.31
4 2.8, 2.83

61쪽   **1** 단계 교과서 **개념**

1 0.3 ; 3, 6, 0.3 ; 3명, 0.3 L
2 0.5 ; 2, 8, 0.5 ; 2명, 0.5 L
3 5, 5, 0.3 ; 3, 15, 0.3 ; 3명, 0.3 L

62~63쪽   **2** 단계 개념 **집중 연습**

01 4   **02** 2   **03** 2.8
04 0.8   **05** 3.57   **06** 9.33
07 4   **08** 7.6   **09** 0.96
10 6.67   **11** 4, 0.5   **12** 2, 1.4
13 3, 0.3   **14** 2, 1.7   **15** 5, 2.2
16 2, 0.4   **17** 14, 0.3

64~67쪽   **3** 단계 익힘책 **익히기**

01 $7.2 \div 0.4 = \dfrac{72}{10} \div \dfrac{4}{10} = 72 \div 4 = 18$

02 528, 528 ; 528, 528, 176, 176
03 (1) 27, 14   (2) 525, 15
04 756, 210, 3.6   **05** (1) 6   (2) 17
06 6.78, 11.3   **07** >
08 (1) 6   (2) 50   **09** (1) 2   (2) 1.6   (3) 1.56
10 <
11 (1) 0.3   (2) 3, 0.3 ; 3, 0.3

12
$$
0.5 \overline{)\smash{}3.3\,5} \qquad \begin{array}{r} 6.7 \end{array}
$$
     3 0
     ―――
      3 5
      3 5
     ――――
       0

13 $10.4 \div 0.4 = 26$; 26개

68~70쪽   **4** 단계 단원 **평가**

01 3, 27, 3, 9   **02** 84, 756, 84, 9
03 42, 420, 4200   **04** 70, 700
05 432, 6, 72, 72   **06** 100, 3.5, 3.5
07 2   **08** 6   **09** 6
10 14   **11** 6.6   **12** 8.1
13 <   **14** >   **15** 1.85

16 $377 \div 0.29 = \dfrac{37700}{100} \div \dfrac{29}{100} = 37700 \div 29 = 1300$

17 (위부터) 90, 60, 30, 20   **18** 1.33
19 8개   **20** 4상자, 0.7 kg

71쪽   스스로 **학습장**

쪽지시험	6 학년 1 반 10 번 이름 나천재

✓ [1~9] 계산해 보세요.

① $0.6)\overline{8\,7.6}$ 계산 결과 146

② $1.7)\overline{1\,5.3}$ 계산 결과 0.9 ; 풀이 $1.7)\overline{1\,5.3}$ → 9

③ $0.03)\overline{8.1\,9}$ 계산 결과 273

④ $0.8)\overline{1\,4.4}$ 계산 결과 18 ; 풀이 $0.8)\overline{1\,4\,4.0}$

⑤ $2.3)\overline{1\,8.4}$ 계산 결과 0.8 ; 풀이 $2.3)\overline{1\,8.4}$ → 8

⑥ $0.5)\overline{2.1\,5}$ 계산 결과 4.3

⑦ $1.7)\overline{6\,8}$ 계산 결과 40

⑧ $0.39)\overline{4.6\,8}$ 계산 결과 12

⑨ $1.2)\overline{5.0\,4}$ 계산 결과 4.2

3. 공간과 입체

74~75쪽   준비 학습

1 ④
2 11개
3 면 ㈐
4 28.5 cm
5 512 cm³
6 142 cm²
7 15 m³

77쪽   1 단계 교과서 개념

1 ㈏   2 ㈐   3 ㉮

79쪽   1 단계 교과서 개념

1 6개
2 8개
3 8개
4 9개

81쪽   1 단계 교과서 개념

1 (1) 4   (2) 3, 1   (3) 3, 1

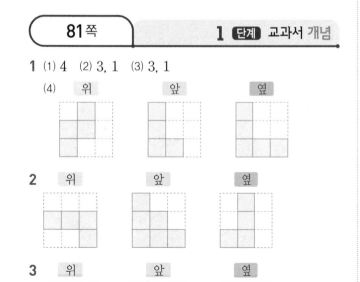

82~83쪽   2 단계 개념 집중 연습

01 은주   02 하진   03 10개
04 11개   05 7개   06 8개
07 10개   08 8개

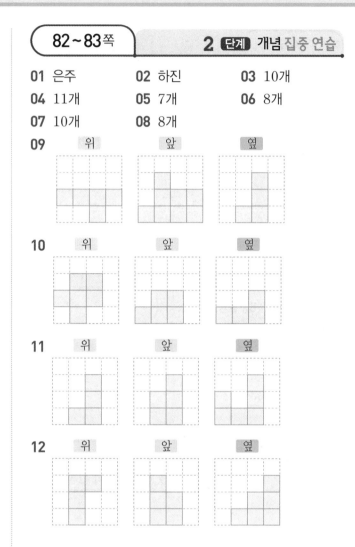

85쪽   1 단계 교과서 개념

1 (◯)(   )   2 4개
3 (◯)(   )   4 6개

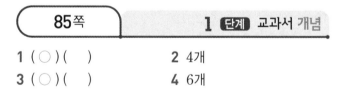

87쪽   1 단계 교과서 개념

1 (1) 10개   (2)

2 (1) 11개   (2)

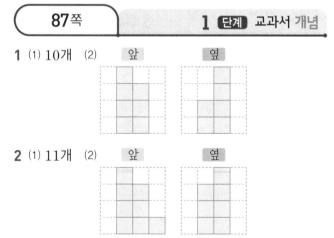

88~89쪽 · 2 단계 개념 집중 연습

01 7개 02 6개
03 8개 04 8개
05 7개 06 9개
07 8개
08 (1) 12개 (2) 앞 옆
09 (1) 8개 (2) 앞 옆
10 (1) 11개 (2) 앞 옆
11 (1) 7개 (2) 앞 옆

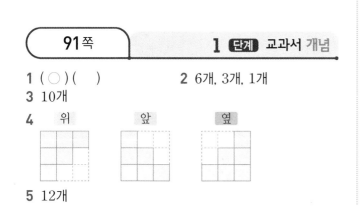

91쪽 · 1 단계 교과서 개념

1 (○)( ) 2 6개, 3개, 1개
3 10개
4 위 앞 옆
5 12개

93쪽 · 1 단계 교과서 개념

1
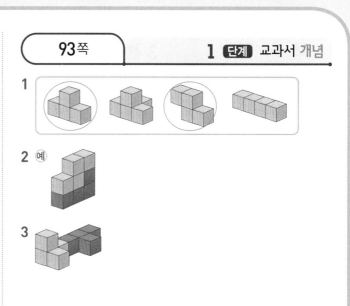

2 예
3
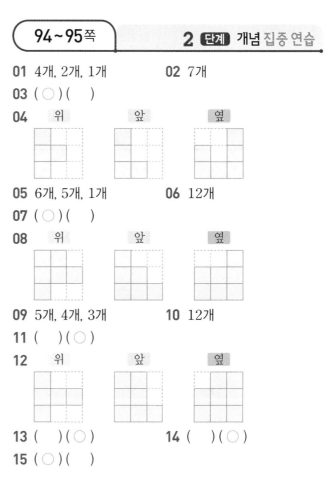

94~95쪽 · 2 단계 개념 집중 연습

01 4개, 2개, 1개 02 7개
03 (○)( )
04 위 앞 옆
05 6개, 5개, 1개 06 12개
07 (○)( )
08 위 앞 옆
09 5개, 4개, 3개 10 12개
11 ( )(○)
12 위 앞 옆
13 ( )(○) 14 ( )(○)
15 (○)( )

96~99쪽　　3 단계 익힘책 익히기

01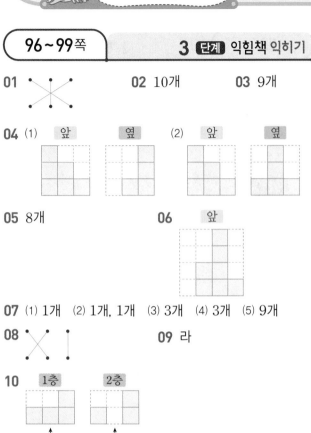

02 10개　　03 9개

04 (1) 앞　옆　(2) 앞　옆

05 8개

06 앞

07 (1) 1개　(2) 1개, 1개　(3) 3개　(4) 3개　(5) 9개

08 　　09 라

10 1층　2층
앞　앞

11 다　　12 위 , 9개
```
3
2
1 3
```
앞

07 2층　3층
앞　앞

08 3개　　09 1개, 1개

10 2개, 1개　　11 8개

12 위　앞　옆

13 앞　　14 앞

15 위 , 9개
```
  2
3 2
1 1
```
앞

16 앞 , 8개

17 ㉡　　18 ㉠　　19 ㉠, ㉢

20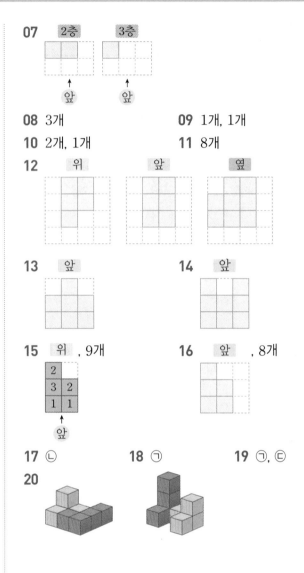

100~102쪽　　4 단계 단원 평가

01 8개　　02 8개

03 앞　옆

04 위
```
1 1 1
2 1
3 1
```
앞

05 위
```
  3 3
  2
2 1
```
앞

06 1층　2층
앞　앞

103쪽　　스스로 학습장

1 8개　　2 8개

3 앞　옆

4 위
```
1
4 1
2
```
앞

5 위
```
  3 1
1 2
  1
```
앞

6 2층　3층
앞　앞

4. 비례식과 비례배분

106~107쪽 준비 학습

1 4, 6, 8
2 2
3 (1) 3, 5 (2) 3, 5
4 8, 11 ; 8, 11 ; 8, 11 ; 11, 8
5 10, 6
6 $\dfrac{4}{5}$, 0.8
7 50 %

109쪽 1단계 교과서 개념

1 $\dfrac{2}{3}$, $\dfrac{2}{3}$
2 (위부터) 3 ; 9 ; 3
3 $\dfrac{5}{8}$, $\dfrac{5}{8}$
4 (위부터) 7 ; 8 ; 7

111쪽 1단계 교과서 개념

1 (위부터) 23 ; 10
2 (위부터) 100 ; 11
3 (위부터) 35 ; 5 ; 35
4 (위부터) 8 ; 6 ; 8
5 (위부터) 6 ; 4 ; 6
6 (위부터) 10 ; 8 ; 10

112~113쪽 2단계 개념 집중 연습

01 (위부터) 81 ; 9
02 (위부터) 3 ; 6
03 (위부터) 16, 32 ; 4
04 (위부터) 20 ; 260, 420
05 (위부터) 1 ; 9
06 (위부터) 3 ; 1
07 (위부터) 5 ; 8, 5
08 (위부터) 9, 7 ; 40
09 (위부터) 44 ; 11
10 (위부터) 35 ; 10
11 (위부터) 14 ; 100
12 (위부터) 15 ; 2
13 방법1 0.2 ; 7, 2   방법2 $\dfrac{7}{10}$; 7, 2
14 8 : 5
15 4 : 7
16 5 : 6

115쪽 1단계 교과서 개념

1 $\dfrac{5}{4}$, $\dfrac{4}{5}$, $\dfrac{4}{5}$
2 4, 5
3 (위부터) 외항, 내항
4 (위부터) 내항, 외항
5 (위부터) 내항, 외항
6 0.5 : 0.2 = 5 : 2 (또는 5 : 2 = 0.5 : 0.2)

117쪽 1단계 교과서 개념

1 (위부터) 60 ; 60
2 (위부터) 120 ; 120
3 (위부터) 2, 66 ; 66
4 (위부터) 2 ; 14, 2
5 (위부터) 15, 4.5 ; 9, 4.5
6 12, 84, 6
7 27, 216, 24

![header](스피드 정답표)

118~119쪽 2단계 개념 집중 연습

01 10, 30 ; 15, 20
02 6, 110 ; 11, 60
03 7, 25 ; 5, 35
04 12, 1 ; 3, 4
05 1, 16 ; 2, 8
06 2, 9, 14, 63 (또는 14, 63, 2, 9)
07 12, 15, 4, 5 (또는 4, 5, 12, 15)
08 3, 11, 9, 33 (또는 9, 33, 3, 11)
09 4, 7, 12, 21 (또는 12, 21, 4, 7)
10 252, 252
11 $4 \times 2 = 8$; $8 \times 1 = 8$
12 $0.3 \times 7 = 2.1$; $0.7 \times 3 = 2.1$
13 $100 \times \frac{1}{10} = 10$; $1 \times 10 = 10$
14 $\frac{1}{9} \times 9 = 1$; $\frac{1}{11} \times 11 = 1$
15 25   16 28
17 6   18 5
19 4

121쪽 1단계 교과서 개념

1 2 : 30
2 $2 : 30 = ● : 150$
3 10 L
4 $3 : 8 = ▲ : 72$
5 27 mL

123쪽 1단계 교과서 개념

1 $\frac{3}{8}$, 6 ; 3, $\frac{5}{8}$, 10
2 $\frac{1}{4}$, 6 ; 1, $\frac{3}{4}$, 18
3 $\frac{2}{3}$, 16 ; 1, $\frac{1}{3}$, 8
4 5, $\frac{7}{12}$, 14 ; 5, $\frac{5}{12}$, 10

124~125쪽 2단계 개념 집중 연습

01 $2 : 3 = 8 : \square$, 12컵   02 $2 : 3 = 12 : \square$, 18컵
03 $2 : 3 = \square : 9$, 6컵   04 $2 : 3 = \square : 27$, 18컵
05 $7 : 9 = 21 : \square$, 27장   06 $7 : 9 = 56 : \square$, 72장
07 $7 : 9 = \square : 18$, 14초   08 $7 : 9 = \square : 36$, 28초
09 1, $\frac{1}{3}$, 60 ; 1, $\frac{2}{3}$, 120
10 5, $\frac{3}{8}$, 18 ; 5, 5, $\frac{5}{8}$, 30
11 9, $\frac{9}{11}$, 45 ; 2, $\frac{2}{11}$, 10
12 $\frac{5}{9}$, 200 ; 4, $\frac{4}{9}$, 160
13 4, $\frac{4}{7}$, 800 ; $\frac{3}{7}$, 600
14 8, 7, $\frac{8}{15}$, 3200 ; 8, 7, $\frac{7}{15}$, 2800

126~129쪽 3단계 익힘책 익히기

01 (1) 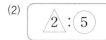 (2)
02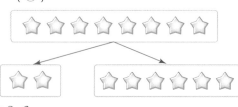
03 (1) (위부터) 36 ; 4   (2) (위부터) 2 ; 10
04 7, 9, 14, 18 (또는 14, 18, 7, 9)
05 24, 12 ; 0.4, 12 ; 같습니다에 ○표
06 (○)( )
    (○)
07
; 2, 6
08 4, 3, $\frac{4}{7}$, 16 ; 3, 4, 3, $\frac{3}{7}$, 12
09 (1) 12 : 7   (2) 50 : 27
10 (1) 15   (2) 8   (3) 13
11 5 : 3
12 $2 : 3000 = 6 : \square$, 9000원
13 10, 1500 ; $\frac{7}{10}$, 3500

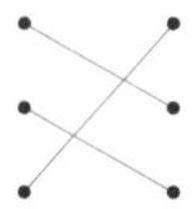

130~132쪽　　4 단계 단원 평가

01 전항, 후항　　**02** (위부터) 9 ; 4

03 (위부터) 88 ; 11　　**04** (위부터) 100 ; 41

05 ③

06

$$\triangle 15 : 6 = 30 : 12 \triangle$$

07 9 : 18＝1 : 2 (또는 1 : 2＝9 : 18)

08 같습니다에 ○표　　**09** 40 : 19

10 1 : 9　　**11** 9, 32 ; $\frac{5}{9}$, 40

12 (위부터) 140, 20 ; 140 cm

13 16, 80, 10　　**14** 88, 33

15 2　　**16** 16

17 ㉢　　**18** 6 : 43

19 예 1 : 3, 예 20 : 60

20 35개, 49개

133쪽　　스스로 학습장

1 ○　　**2** ○　　**3** ○

4 ×　　**5** ○　　**6** ×

7 ×　　**8** ○　　**9** ×

5. 원의 넓이

136~137쪽　　준비 학습

1 원의 [중심]　원의 [반지름]　원의 [지름]

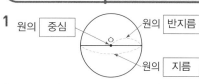

2 8 cm, 4 cm　　**3** 35 cm

4 16 cm　　**5** 25 cm²

6 100 cm²　　**7** (1) 0.048　(2) 9.36

8 (1) 6　(2) 14.125

139쪽　　1 단계 교과서 개념

1 정육각형의 둘레:

원주: 예

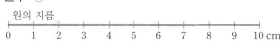

정사각형의 둘레:

2 3, 4

141쪽　　1 단계 교과서 개념

1 원주율　　**2** 3.1, 3.14

3 3.14　　**4** 3.14

5 3.14

142~143쪽 · 2 단계 개념 집중 연습

01 예

02 예

03 ○

04 ○

05 ×

06 3.1, 3.14

07 3, 3.1

08 3.1, 3.14

09 3.14

10 3.14

11 3.14

12 3.14

13 8 cm, 3.14

14 15 cm, 3.14

15 12 cm, 3.14

16 10 cm, 3.14

145쪽 · 1 단계 교과서 개념

1 지름

2 원주

3 24.8 cm

4 34.1 cm

5 6 cm

6 12 cm

147쪽 · 1 단계 교과서 개념

1 50 cm²

2 100 cm²

3 50, 100

4 32, 64

148~149쪽 · 2 단계 개념 집중 연습

01 18.84 cm

02 31.4 cm

03 12.56 cm

04 15.7 cm

05 10 cm

06 7 cm

07 4.5 cm

08 3 cm

09 800, 1600

10 72, 144

11 200, 400

12 32개

13 60개

14 32, 60

15 60개

16 88개

17 60, 88

151쪽 · 1 단계 교과서 개념

1 (위부터) 원주, 반지름 ; 원주율

2 254.34 cm²

3 314 cm²

4 78.5 cm²

153쪽 · 1 단계 교과서 개념

1 432 cm²

2 75 cm²

3 357 cm²

4 99.2 cm²

5 24.8 cm²

6 124 cm²

154~155쪽 · 2 단계 개념 집중 연습

01 27 cm²

02 363 cm²

03 75 cm²

04 147 cm²

05 254.34 cm²

06 50.24 cm²

07 314 cm²

08 113.04 cm²

09 223.2 cm²

10 49.6 cm²

11 83.7 cm²

12 147.5 cm²

13 153 cm²

14 64 cm²

15 363 cm²

16 150 cm²

156~159쪽　　3 단계 익힘책 익히기

01 원주
02 (1) × (2) ○ (3) ×
03 3.1, 3.14
04 25.12 cm
05 20 cm
06 88, 132
07 <, >
08 24, 24, 288 ; 24, 24, 576
09 288, 576
10

지름 (cm)	반지름 (cm)	원의 넓이 구하는 식	원의 넓이 (cm²)
8	4	4×4×3.1	49.6
26	13	13×13×3.1	523.9

11 251.1 cm²
12 ㉡, ㉢, ㉠, ㉣
13 153.86 cm²

160~162쪽　　4 단계 단원 평가

01 (왼쪽부터) 원주, 지름
02 원주율
03 3
04 3.14
05 3.14
06 25.12 cm
07 18.84 cm
08 9
09 2 cm
10 18, 36
11 45, 77
12 (위부터) 6.28, 2
13 48 cm²
14 243 cm²
15 27.9 cm²
16 20 cm, 125.6 cm, 1256 cm²
17 지민
18 144 cm²
19 20, 10
20 86 cm²

163쪽　　스스로 학습장

1 74.4, 446.4
2 55.8, 251.1
3 16, 2 ; 195.3
4 26 ; 523.9

6. 원기둥, 원뿔, 구

166~167쪽　　준비 학습

1 (1) 오각기둥　(2) 육각뿔

2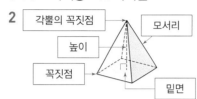

3 예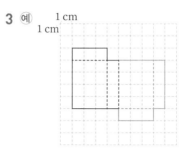

4

도형	꼭짓점의 수 (개)	면의 수 (개)	모서리의 수 (개)
가	6	6	10
나	12	8	18

5 62.8 cm
6 192 cm²

169쪽　　1 단계 교과서 개념

1

기준	각기둥 모양인 것	각기둥 모양이 아닌 것
기호	가, 나, 라	다, 마

2 원기둥

3 　**4**

171쪽　　1 단계 교과서 개념

1 ×
2 ×
3 ○
4 5 cm
5 12.56 cm

스피드 정답표

172~173쪽   **2** 단계 개념 집중 연습

01 (○)(   )(   )   **02** (   )(   )(○)
03 (   )(   )(○)   **04** (○)(   )(   )

05
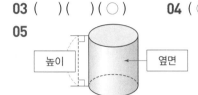

06
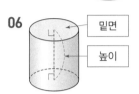

07 6 cm   **08** 7 cm
09 8 cm, 5 cm   **10** 6 cm, 6 cm

11
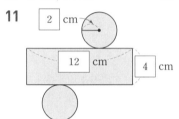

12
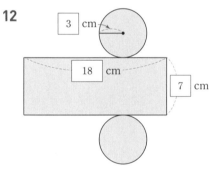

13
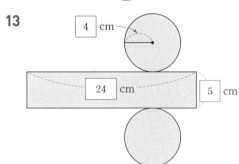

175쪽   **1** 단계 교과서 개념

1 ○   **2** ×   **3** ○
4 4   **5** 5   **6** 6

177쪽   **1** 단계 교과서 개념

1 나, 마
2
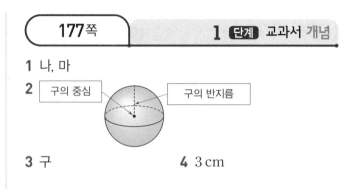

3 구   **4** 3 cm

179쪽   **1** 단계 교과서 개념

1 원뿔에 ○표   **2** 구에 ○표
3 원기둥에 ○표   **4**
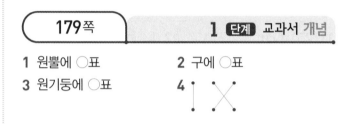

180~181쪽   **2** 단계 개념 집중 연습

01 가, 마
02
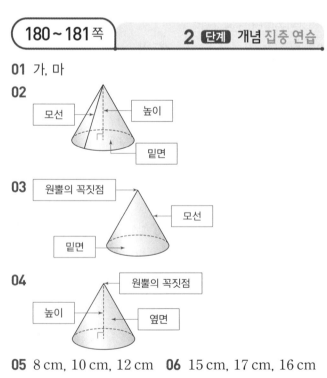

03

04
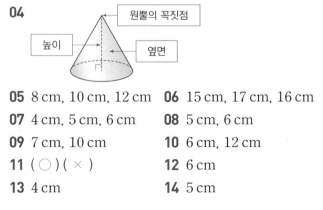

05 8 cm, 10 cm, 12 cm   **06** 15 cm, 17 cm, 16 cm
07 4 cm, 5 cm, 6 cm   **08** 5 cm, 6 cm
09 7 cm, 10 cm   **10** 6 cm, 12 cm
11 (○)(×)   **12** 6 cm
13 4 cm   **14** 5 cm

182~185쪽   **3 단계 익힘책 익히기**

01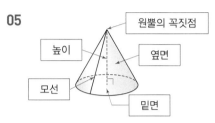
(밑면, 옆면, 높이, 밑면)

02 가, 라
03 나
04 다, 마

05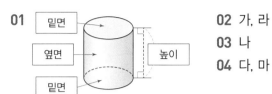
(원뿔의 꼭짓점, 높이, 옆면, 모선, 밑면)

06

도형	밑면의 모양	밑면의 수(개)	위에서 본 모양	앞에서 본 모양
육각뿔	육각형	1	육각형	삼각형
원뿔	원	1	원	삼각형

07 다

08

입체도형	위에서 본 모양	앞에서 본 모양	옆에서 본 모양
구	○	○	○

09

입체도형	위에서 본 모양	앞에서 본 모양	옆에서 본 모양
원기둥	○	□	□

10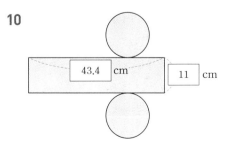
43.4 cm, 11 cm

11 22 cm, 15 cm   12 14 cm, 14 cm

186~188쪽   **4 단계 단원 평가**

01 가   02 마
03 나, 바   04 전개도
05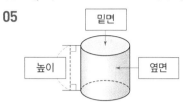
(밑면, 높이, 옆면)

06 ⑤   07 구의 중심
08 구의 반지름   09 ③, ⑤
10 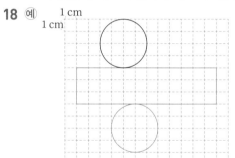   11 20 cm
12 원기둥   13 원뿔
14 31.4 cm   15 12 cm
16 2 cm
17 예 옆면이 직사각형이 아니기 때문입니다. 밑면의 둘레와 옆면의 가로의 길이가 다르기 때문입니다.
18 예
1 cm
1 cm

19

위에서 본 모양	앞에서 본 모양	옆에서 본 모양
○	△	△

20 (○)
   (×)
   (○)

189쪽   **스스로 학습장**

1 (왼쪽부터) 원기둥, 직사각형 ; 원, 2, 6
2 (왼쪽부터) 원뿔, 직각삼각형 ; 원, 1, 6, 5
3 (왼쪽부터) 구, 반원 ; 구의 중심, 3

1. 분수의 나눗셈

이 단원에서는 분수끼리의 나눗셈을 학습합니다. 분모가 같을 때에는 분자의 나눗셈으로 생각할 수 있는데 이 경우는 두 자연수의 나눗셈이 됩니다.

분모가 다른 경우에는 통분하여 계산하는 것과 분수의 나눗셈을 분수의 곱셈으로 나타내어 계산하는 것을 모두 지도해 주세요. 분수의 나눗셈에서 계산 결과는 기약분수로, 가분수인 경우 대분수로 나타낼 수 있도록 지도해 주세요.

10~11쪽　　준비 학습

1 (위부터) 8, 15, 8, 15, 23, 5, 23

2 $4\frac{5}{24}$ cm

3 $1\frac{2}{3} \times 2\frac{4}{5} = \boxed{\frac{5}{3}} \times \boxed{\frac{14}{5}} = \boxed{\frac{14}{3}} = \boxed{4}\boxed{\frac{2}{3}}$

4 $\frac{4}{9}$　　　　　5 $\frac{5}{9}$ m

6 예 $3\frac{6}{7} \div 2 = \frac{27}{7} \div 2 = \frac{27}{7} \times \frac{1}{2} = \frac{27}{14} = 1\frac{13}{14}$

7 $\frac{2}{3} \times \frac{1}{5} = \frac{2}{15}$; $\frac{2}{15}$

---

1 통분한 후 자연수는 자연수끼리, 분수는 분수끼리 계산합니다.

2 $6\frac{7}{12} - 2\frac{3}{8} = 6\frac{14}{24} - 2\frac{9}{24} = 4\frac{5}{24}$ (cm)

3 $1\frac{2}{3} \times 2\frac{4}{5} = \frac{\overset{1}{\cancel{5}}}{3} \times \frac{14}{\underset{1}{\cancel{5}}} = \frac{14}{3} = 4\frac{2}{3}$

4 $2\frac{2}{9} \div 5 = \frac{20}{9} \div 5 = \frac{20 \div 5}{9} = \frac{4}{9}$

5 $5 \div 9 = \frac{5}{9}$이므로 한 명이 가진 리본은 $\frac{5}{9}$ m입니다.

13쪽　　1단계 교과서 개념

1 ⑴ 4, 2　⑵ 7, 1, 7

2 2　　　　3 8　　　　4 3

5 3　　　　6 3　　　　7 4

---

1 분모가 같은 진분수끼리의 나눗셈은 분자끼리의 나눗셈과 같습니다.

2 $\frac{4}{5} \div \frac{2}{5} = 4 \div 2 = 2$

4 $\frac{12}{13} \div \frac{4}{13} = 12 \div 4 = 3$

5 $\frac{21}{25} \div \frac{7}{25} = 21 \div 7 = 3$

6 $\frac{9}{10} \div \frac{3}{10} = 9 \div 3 = 3$

7 $\frac{20}{21} \div \frac{5}{21} = 20 \div 5 = 4$

15쪽　　1단계 교과서 개념

1 $\frac{7}{8} \div \frac{3}{8} = \boxed{7} \div \boxed{3} = \boxed{\frac{7}{3}} = \boxed{2\frac{1}{3}}$

2 $\frac{8}{9} \div \frac{5}{9} = \boxed{8} \div \boxed{5} = \boxed{\frac{8}{5}} = \boxed{1\frac{3}{5}}$

3 $\frac{10}{13} \div \frac{3}{13} = \boxed{10} \div \boxed{3} = \boxed{\frac{10}{3}} = \boxed{3\frac{1}{3}}$

4 $\frac{7}{13} \div \frac{4}{13} = \boxed{7} \div \boxed{4} = \boxed{\frac{7}{4}} = \boxed{1\frac{3}{4}}$

5 $\frac{5}{12} \div \frac{7}{12} = 5 \div 7 = \frac{5}{7}$

6 $\frac{9}{14} \div \frac{2}{14} = 9 \div 2 = \frac{9}{2} = 4\frac{1}{2}$

7 $\frac{13}{15} \div \frac{4}{15} = 13 \div 4 = \frac{13}{4} = 3\frac{1}{4}$

8 $\frac{7}{17} \div \frac{16}{17} = 7 \div 16 = \frac{7}{16}$

01 4, 2, 2　　**02** 8, 2, 4　　**03** 2, 1, 2
04 15, 3, 5　　**05** 9, 3, 3　　**06** 2
07 2　　　　　**08** 4　　　　　**09** 4

10 3　　　　**11** $\dfrac{3}{8} \div \dfrac{7}{8} = \boxed{3} \div \boxed{7} = \dfrac{3}{\boxed{7}}$

12 $\dfrac{5}{6} \div \dfrac{3}{6} = \boxed{5} \div \boxed{3} = \dfrac{5}{\boxed{3}} = \boxed{1\dfrac{2}{3}}$

13 $\dfrac{9}{10} \div \dfrac{8}{10} = \boxed{9} \div \boxed{8} = \dfrac{9}{\boxed{8}} = \boxed{1\dfrac{1}{8}}$

14 $\dfrac{5}{9} \div \dfrac{4}{9} = \boxed{5} \div \boxed{4} = \dfrac{5}{\boxed{4}} = \boxed{1\dfrac{1}{4}}$

15 $\dfrac{6}{7} \div \dfrac{5}{7} = \boxed{6} \div \boxed{5} = \dfrac{6}{\boxed{5}} = \boxed{1\dfrac{1}{5}}$

16 $\dfrac{3}{4}$　　**17** $1\dfrac{1}{7}\left(=\dfrac{8}{7}\right)$　　**18** $\dfrac{3}{5}$

19 $1\dfrac{1}{2}\left(=\dfrac{3}{2}\right)$　　**20** $1\dfrac{2}{5}\left(=\dfrac{7}{5}\right)$

---

01 $\dfrac{4}{9}$ 는 $\dfrac{1}{9}$ 이 4개이고 $\dfrac{2}{9}$ 는 $\dfrac{1}{9}$ 이 2개이므로

　　$\dfrac{4}{9} \div \dfrac{2}{9}$ 는 $4 \div 2$ 와 같습니다.

02 $\dfrac{8}{9}$ 은 $\dfrac{1}{9}$ 이 8개이고 $\dfrac{2}{9}$ 는 $\dfrac{1}{9}$ 이 2개이므로

　　$\dfrac{8}{9} \div \dfrac{2}{9}$ 는 $8 \div 2$ 와 같습니다.

06 $\dfrac{8}{13} \div \dfrac{4}{13} = 8 \div 4 = 2$

07 $\dfrac{6}{10} \div \dfrac{3}{10} = 6 \div 3 = 2$

08 $\dfrac{16}{17} \div \dfrac{4}{17} = 16 \div 4 = 4$

09 $\dfrac{8}{15} \div \dfrac{2}{15} = 8 \div 2 = 4$

10 $\dfrac{15}{16} \div \dfrac{5}{16} = 15 \div 5 = 3$

11~15 분자끼리 계산하여 나누어떨어지지 않으면 몫을 분수로 나타냅니다.

16 $\dfrac{3}{10} \div \dfrac{4}{10} = 3 \div 4 = \dfrac{3}{4}$

17 $\dfrac{8}{9} \div \dfrac{7}{9} = 8 \div 7 = \dfrac{8}{7} = 1\dfrac{1}{7}$

18 $\dfrac{3}{8} \div \dfrac{5}{8} = 3 \div 5 = \dfrac{3}{5}$

19 $\dfrac{3}{7} \div \dfrac{2}{7} = 3 \div 2 = \dfrac{3}{2} = 1\dfrac{1}{2}$

20 $\dfrac{7}{12} \div \dfrac{5}{12} = 7 \div 5 = \dfrac{7}{5} = 1\dfrac{2}{5}$

---

1 16, 16, $\dfrac{3}{16}$　　**2** $1\dfrac{1}{9}\left(=\dfrac{10}{9}\right)$

3 $1\dfrac{1}{15}\left(=\dfrac{16}{15}\right)$　　**4** $1\dfrac{1}{6}\left(=\dfrac{7}{6}\right)$

5 $1\dfrac{13}{35}\left(=\dfrac{48}{35}\right)$　　**6** $1\dfrac{7}{11}\left(=\dfrac{18}{11}\right)$

7 $\dfrac{16}{63}$

---

1 $\dfrac{1}{8}$ 과 $\dfrac{2}{3}$ 를 분모가 24가 되도록 통분한 후 분자끼리 나눕니다.

　　$\dfrac{1}{8} \div \dfrac{2}{3} = \dfrac{3}{24} \div \dfrac{16}{24} = 3 \div 16 = \dfrac{3}{16}$

2 $\dfrac{2}{3} \div \dfrac{3}{5} = \dfrac{10}{15} \div \dfrac{9}{15} = \dfrac{10}{9} = 1\dfrac{1}{9}$

3 $\dfrac{2}{5} \div \dfrac{3}{8} = \dfrac{16}{40} \div \dfrac{15}{40} = \dfrac{16}{15} = 1\dfrac{1}{15}$

4 $\dfrac{2}{3} \div \dfrac{4}{7} = \dfrac{14}{21} \div \dfrac{12}{21} = \dfrac{\overset{7}{\cancel{14}}}{\underset{6}{\cancel{12}}} = \dfrac{7}{6} = 1\dfrac{1}{6}$

5 $\dfrac{6}{7} \div \dfrac{5}{8} = \dfrac{48}{56} \div \dfrac{35}{56} = \dfrac{48}{35} = 1\dfrac{13}{35}$

$$6 \quad \frac{8}{11} \div \frac{4}{9} = \frac{72}{99} \div \frac{44}{99} = \frac{\overset{18}{\cancel{72}}}{\underset{11}{\cancel{44}}} = \frac{18}{11} = 1\frac{7}{11}$$

$$7 \quad \frac{4}{21} \div \frac{3}{4} = \frac{16}{84} \div \frac{63}{84} = \frac{16}{63}$$

21쪽 1 단계 교과서 개념

1 4, 5, 10

2 3, 5, 15

3 2, 3, 12

4 2, 5, 25

$$5 \quad 10 \div \frac{5}{9} = (10 \div 5) \times 9 = 18$$

$$6 \quad 9 \div \frac{3}{7} = (9 \div 3) \times 7 = 21$$

22~23쪽 2 단계 개념 집중 연습

$$01 \quad \frac{5}{6} \div \frac{3}{7} = \frac{\boxed{35}}{42} \div \frac{\boxed{18}}{42}$$
$$= \boxed{35} \div \boxed{18} = \frac{\boxed{35}}{18} = 1\frac{17}{18}$$

$$02 \quad \frac{3}{5} \div \frac{7}{15} = \frac{\boxed{9}}{15} \div \frac{\boxed{7}}{15} = \boxed{9} \div \boxed{7} = \frac{\boxed{9}}{7} = 1\frac{2}{7}$$

$$03 \quad \frac{7}{9} \div \frac{5}{6} = \frac{\boxed{14}}{18} \div \frac{\boxed{15}}{18} = \boxed{14} \div \boxed{15} = \frac{\boxed{14}}{15}$$

$$04 \quad \frac{2}{3} \div \frac{3}{5} = \frac{\boxed{10}}{15} \div \frac{\boxed{9}}{15}$$
$$= \boxed{10} \div \boxed{9} = \frac{\boxed{10}}{9} = 1\frac{1}{9}$$

$$05 \quad \text{예} \quad \frac{3}{10} \div \frac{4}{7} = \frac{21}{70} \div \frac{40}{70} = 21 \div 40 = \frac{21}{40}$$

$$06 \quad \text{예} \quad \frac{9}{10} \div \frac{3}{8} = \frac{36}{40} \div \frac{15}{40} = 36 \div 15 = 2\frac{2}{5}\left(=\frac{12}{5}\right)$$

$$07 \quad \text{예} \quad \frac{11}{16} \div \frac{5}{12} = \frac{33}{48} \div \frac{20}{48} = 33 \div 20 = 1\frac{13}{20}\left(=\frac{33}{20}\right)$$

$$08 \quad \text{예} \quad \frac{7}{10} \div \frac{3}{5} = \frac{7}{10} \div \frac{6}{10} = 7 \div 6 = 1\frac{1}{6}\left(=\frac{7}{6}\right)$$

$$09 \quad \text{예} \quad \frac{5}{14} \div \frac{2}{21} = \frac{15}{42} \div \frac{4}{42} = 15 \div 4 = 3\frac{3}{4}\left(=\frac{15}{4}\right)$$

10 2, 5, 10   **11** 4, 7, 21   **12** 3, 5, 20

13 3, 7, 21   **14** 7, 8, 16   **15** 35

16 35   **17** 27   **18** 22

$$10 \quad 4 \div \frac{2}{5} = (4 \div 2) \times 5 = 2 \times 5 = 10$$

$$12 \quad 12 \div \frac{3}{5} = (12 \div 3) \times 5 = 4 \times 5 = 20$$

$$14 \quad 14 \div \frac{7}{8} = (14 \div 7) \times 8 = 2 \times 8 = 16$$

$$15 \quad 14 \div \frac{2}{5} = (14 \div 2) \times 5 = 35$$

$$17 \quad 15 \div \frac{5}{9} = (15 \div 5) \times 9 = 27$$

25쪽 1 단계 교과서 개념

1 3, 15, $1\frac{1}{14}$ **2** 9, 27, $1\frac{7}{20}$ **3** 25, $2\frac{7}{9}$

4 $1\frac{5}{7}\left(=\frac{12}{7}\right)$ **5** $2\frac{2}{27}\left(=\frac{56}{27}\right)$

$$4 \quad \frac{3}{7} \div \frac{1}{4} = \frac{3}{7} \times 4 = \frac{12}{7} = 1\frac{5}{7}$$

$$5 \quad \frac{7}{9} \div \frac{3}{8} = \frac{7}{9} \times \frac{8}{3} = \frac{56}{27} = 2\frac{2}{27}$$

27쪽 1 단계 교과서 개념

1 (1) 8, 8, $1\frac{7}{8}$ (2) 3, 15, $1\frac{7}{8}$

2 (1) 20, 28, 20, 20, 4, $1\frac{3}{4}$ (2) 7, 7, $1\frac{3}{4}$

3 $2\frac{2}{5}\left(=\frac{12}{5}\right)$ **4** $2\frac{7}{9}\left(=\frac{25}{9}\right)$

5 $4\frac{2}{5}\left(=\frac{22}{5}\right)$ **6** $1\frac{4}{5}\left(=\frac{9}{5}\right)$

3 $\dfrac{3}{2} \div \dfrac{5}{8} = \dfrac{12}{8} \div \dfrac{5}{8} = 12 \div 5 = \dfrac{12}{5} = 2\dfrac{2}{5}$

> **다른 풀이**
>
> $\dfrac{3}{2} \div \dfrac{5}{8} = \dfrac{3}{\underset{1}{\cancel{2}}} \times \dfrac{\overset{4}{\cancel{8}}}{5} = \dfrac{12}{5} = 2\dfrac{2}{5}$

4 $\dfrac{10}{9} \div \dfrac{2}{5} = \dfrac{50}{45} \div \dfrac{18}{45} = 50 \div 18 = \dfrac{\overset{25}{\cancel{50}}}{\underset{9}{\cancel{18}}} = \dfrac{25}{9} = 2\dfrac{7}{9}$

> **다른 풀이**
>
> $\dfrac{10}{9} \div \dfrac{2}{5} = \dfrac{\overset{5}{\cancel{10}}}{9} \times \dfrac{5}{\underset{1}{\cancel{2}}} = \dfrac{25}{9} = 2\dfrac{7}{9}$

5 $3\dfrac{2}{3} \div \dfrac{5}{6} = \dfrac{11}{3} \div \dfrac{5}{6} = \dfrac{11}{\underset{1}{\cancel{3}}} \times \dfrac{\overset{2}{\cancel{6}}}{5} = \dfrac{22}{5} = 4\dfrac{2}{5}$

6 $1\dfrac{3}{5} \div \dfrac{8}{9} = \dfrac{8}{5} \div \dfrac{8}{9} = \dfrac{\overset{1}{\cancel{8}}}{5} \times \dfrac{9}{\underset{1}{\cancel{8}}} = \dfrac{9}{5} = 1\dfrac{4}{5}$

28~29쪽 **2단계** 개념 집중 연습

01 $\dfrac{6}{7} \div \dfrac{4}{9} = \dfrac{6}{7} \times \dfrac{\boxed{9}}{\boxed{4}} = \dfrac{\boxed{27}}{14} = \boxed{1\dfrac{13}{14}}$

02 $\dfrac{2}{5} \div \dfrac{7}{10} = \dfrac{2}{5} \times \dfrac{\boxed{10}}{\boxed{7}} = \dfrac{\boxed{4}}{7}$

03 $\dfrac{3}{4} \div \dfrac{3}{10} = \dfrac{3}{4} \times \dfrac{\boxed{10}}{\boxed{3}} = \dfrac{\boxed{5}}{2} = \boxed{2\dfrac{1}{2}}$

04 $\dfrac{2}{7} \div \dfrac{2}{5} = \dfrac{2}{7} \times \dfrac{\boxed{5}}{\boxed{2}} = \dfrac{\boxed{5}}{7}$

05 $\dfrac{5}{9} \div \dfrac{2}{3} = \dfrac{5}{9} \times \dfrac{\boxed{3}}{\boxed{2}} = \dfrac{\boxed{5}}{6}$

06 $7\dfrac{1}{2}\left(=\dfrac{15}{2}\right)$

07 $6\dfrac{2}{3}\left(=\dfrac{20}{3}\right)$

08 $17\dfrac{1}{2}\left(=\dfrac{35}{2}\right)$

09 $10\dfrac{2}{7}\left(=\dfrac{72}{7}\right)$

10 $15\dfrac{3}{4}\left(=\dfrac{63}{4}\right)$

11 $2\dfrac{7}{10}\left(=\dfrac{27}{10}\right)$

12 $5\dfrac{5}{6}\left(=\dfrac{35}{6}\right)$

13 $3\dfrac{1}{3}\left(=\dfrac{10}{3}\right)$

14 $2\dfrac{2}{15}\left(=\dfrac{32}{15}\right)$

15 $10\dfrac{1}{8}\left(=\dfrac{81}{8}\right)$

16 $8\dfrac{8}{9}\left(=\dfrac{80}{9}\right)$

17 $2\dfrac{3}{16}\left(=\dfrac{35}{16}\right)$

18 $4\dfrac{2}{3}\left(=\dfrac{14}{3}\right)$

19 $4\dfrac{1}{16}\left(=\dfrac{65}{16}\right)$

20 $5\dfrac{1}{4}\left(=\dfrac{21}{4}\right)$

06 $6 \div \dfrac{4}{5} = \overset{3}{\cancel{6}} \times \dfrac{5}{\underset{2}{\cancel{4}}} = \dfrac{15}{2} = 7\dfrac{1}{2}$

08 $7 \div \dfrac{2}{5} = 7 \times \dfrac{5}{2} = \dfrac{35}{2} = 17\dfrac{1}{2}$

10 $9 \div \dfrac{4}{7} = 9 \times \dfrac{7}{4} = \dfrac{63}{4} = 15\dfrac{3}{4}$

13 $\dfrac{4}{3} \div \dfrac{2}{5} = \dfrac{\overset{2}{\cancel{4}}}{3} \times \dfrac{5}{\underset{1}{\cancel{2}}} = \dfrac{10}{3} = 3\dfrac{1}{3}$

15 $\dfrac{9}{4} \div \dfrac{2}{9} = \dfrac{9}{4} \times \dfrac{9}{2} = \dfrac{81}{8} = 10\dfrac{1}{8}$

16 $5\dfrac{1}{3} \div \dfrac{3}{5} = \dfrac{16}{3} \div \dfrac{3}{5} = \dfrac{16}{3} \times \dfrac{5}{3} = \dfrac{80}{9} = 8\dfrac{8}{9}$

17 $1\dfrac{7}{8} \div \dfrac{6}{7} = \dfrac{15}{8} \div \dfrac{6}{7} = \dfrac{\overset{5}{\cancel{15}}}{8} \times \dfrac{7}{\underset{2}{\cancel{6}}} = \dfrac{35}{16} = 2\dfrac{3}{16}$

18 $2\dfrac{1}{3} \div \dfrac{1}{2} = \dfrac{7}{3} \div \dfrac{1}{2} = \dfrac{7}{3} \times 2 = \dfrac{14}{3} = 4\dfrac{2}{3}$

19 $3\dfrac{1}{4} \div \dfrac{4}{5} = \dfrac{13}{4} \div \dfrac{4}{5} = \dfrac{13}{4} \times \dfrac{5}{4} = \dfrac{65}{16} = 4\dfrac{1}{16}$

20 $3\dfrac{1}{2} \div \dfrac{2}{3} = \dfrac{7}{2} \div \dfrac{2}{3} = \dfrac{7}{2} \times \dfrac{3}{2} = \dfrac{21}{4} = 5\dfrac{1}{4}$

30~33쪽 3 단계 익힘책 익히기

01 5, 5 **02** 4, 2, 2 **03** 5

04 $\dfrac{7}{11} \div \dfrac{3}{11} = \boxed{7} \div \boxed{3} = \dfrac{\boxed{7}}{3} = 2\dfrac{1}{3}$

05 9

06 $\dfrac{3}{5} \div \dfrac{2}{3} = \dfrac{\boxed{9}}{15} \div \dfrac{\boxed{10}}{15} = \boxed{9} \div \boxed{10} = \dfrac{\boxed{9}}{\boxed{10}}$

07 = **08**

09 2, 5, 20 **10** ㉡, ㉠, ㉢

11 $\dfrac{3}{7} \div \dfrac{2}{5} = \dfrac{3}{7} \times \dfrac{1}{\boxed{2}} \times \boxed{5} = \dfrac{3}{7} \times \dfrac{\boxed{5}}{2}$

12 (1) $1\dfrac{1}{6}\left(=\dfrac{7}{6}\right)$ (2) $1\dfrac{1}{27}\left(=\dfrac{28}{27}\right)$

13 잘못된 이유 예 대분수를 가분수로 바꾸어 계산해야 합니다.

옳은 계산 예 $1\dfrac{2}{5} \div \dfrac{7}{8} = \dfrac{\overset{1}{\cancel{7}}}{5} \times \dfrac{8}{\underset{1}{\cancel{7}}} = \dfrac{8}{5} = 1\dfrac{3}{5}$

14 $1\dfrac{17}{60}\left(=\dfrac{77}{60}\right)$ m **15** 14개

---

02 $\dfrac{4}{9} \div \dfrac{2}{9}$는 4÷2를 계산한 결과와 같습니다.

04 $\dfrac{7}{11} \div \dfrac{3}{11} = 7 \div 3 = \dfrac{7}{3} = 2\dfrac{1}{3}$

05 $\dfrac{3}{5}$에 $\dfrac{1}{15}$이 9번 들어갑니다. ➡ $\dfrac{3}{5} \div \dfrac{1}{15} = 9$

08 $\dfrac{5}{7} \div \dfrac{3}{7} = 5 \div 3 = \dfrac{5}{3} = 1\dfrac{2}{3}$, $\dfrac{8}{13} \div \dfrac{9}{13} = 8 \div 9 = \dfrac{8}{9}$,

$\dfrac{11}{14} \div \dfrac{5}{14} = 11 \div 5 = \dfrac{11}{5} = 2\dfrac{1}{5}$

10 ㉠ $12 \div \dfrac{3}{8} = (12 \div 3) \times 8 = 32$

㉡ $10 \div \dfrac{2}{7} = (10 \div 2) \times 7 = 35$

㉢ $15 \div \dfrac{5}{9} = (15 \div 5) \times 9 = 27$

12 (1) $\dfrac{7}{10} \div \dfrac{3}{5} = \dfrac{7}{\underset{2}{\cancel{10}}} \times \dfrac{\overset{1}{\cancel{5}}}{3} = \dfrac{7}{6} = 1\dfrac{1}{6}$

(2) $\dfrac{8}{9} \div \dfrac{6}{7} = \dfrac{\overset{4}{\cancel{8}}}{9} \times \dfrac{7}{\underset{3}{\cancel{6}}} = \dfrac{28}{27} = 1\dfrac{1}{27}$

14 (가로)=(직사각형의 넓이)÷(세로)

$= \dfrac{11}{12} \div \dfrac{5}{7} = \dfrac{11}{12} \times \dfrac{7}{5} = \dfrac{77}{60} = 1\dfrac{17}{60}$ (m)

15 $8\dfrac{3}{4} \div \dfrac{5}{8} = \dfrac{35}{4} \div \dfrac{5}{8} = \dfrac{\overset{7}{\cancel{35}}}{\underset{1}{\cancel{4}}} \times \dfrac{\overset{2}{\cancel{8}}}{\underset{1}{\cancel{5}}} = 14$(개)

34~36쪽 4 단계 단원 평가

01 5 **02** 10, 5, 2 **03** 5, 20

04 $\dfrac{7}{8} \div \dfrac{5}{8} = \dfrac{7}{8} \times \dfrac{\boxed{8}}{\boxed{5}} = \dfrac{7}{5} = \boxed{1\dfrac{2}{5}}$

05 $\dfrac{7}{9}$ **06** $\dfrac{9}{20}$

07 $\dfrac{8}{9} \div \dfrac{3}{7} = \dfrac{8}{9} \times \dfrac{1}{\boxed{3}} \times \boxed{7} = \dfrac{8}{9} \times \dfrac{\boxed{7}}{3}$

08 $3\dfrac{3}{4} \div \dfrac{2}{7} = \dfrac{15}{4} \div \dfrac{2}{7} = \dfrac{15}{4} \times \dfrac{7}{2} = \dfrac{105}{8} = 13\dfrac{1}{8}$

09 $6\dfrac{9}{10}\left(=\dfrac{69}{10}\right)$ **10** $6\dfrac{1}{15}\left(=\dfrac{91}{15}\right)$

11 $1\dfrac{1}{4}\left(=\dfrac{5}{4}\right)$ **12** < **13** <

14 ㉡ **15** ㉢

16 **17** $3\dfrac{23}{24}\left(=\dfrac{95}{24}\right)$ kg

18 방법 1 예 $2\dfrac{4}{5} \div \dfrac{2}{7} = \dfrac{14}{5} \div \dfrac{2}{7} = \dfrac{98}{35} \div \dfrac{10}{35}$

$= 98 \div 10 = \dfrac{\overset{49}{\cancel{98}}}{\underset{5}{\cancel{10}}} = \dfrac{49}{5} = 9\dfrac{4}{5}$

방법 2 예 $2\dfrac{4}{5} \div \dfrac{2}{7} = \dfrac{14}{5} \div \dfrac{2}{7} = \dfrac{\overset{7}{\cancel{14}}}{5} \times \dfrac{7}{\underset{1}{\cancel{2}}} = \dfrac{49}{5} = 9\dfrac{4}{5}$

19 10개 **20** $8\dfrac{7}{10}\left(=\dfrac{87}{10}\right)$ cm

01 3에서 $\dfrac{3}{5}$을 5번 덜어 낼 수 있으므로 $3\div\dfrac{3}{5}=5$입니다.

02 분모가 같은 진분수끼리의 나눗셈은 분자끼리의 나눗셈과 같습니다.

05 $\dfrac{7}{13}\div\dfrac{9}{13}=7\div9=\dfrac{7}{9}$

06 $\dfrac{3}{8}\div\dfrac{5}{6}=\dfrac{3}{\overset{}{\underset{4}{8}}}\times\dfrac{\overset{3}{6}}{5}=\dfrac{9}{20}$

08 대분수는 먼저 가분수로 고칩니다. 계산 중간 과정에서 약분이 되면 약분하여 기약분수로 나타냅니다.

09 $4\dfrac{3}{5}\div\dfrac{2}{3}=\dfrac{23}{5}\div\dfrac{2}{3}=\dfrac{23}{5}\times\dfrac{3}{2}=\dfrac{69}{10}=6\dfrac{9}{10}$

10 $2\dfrac{3}{5}\div\dfrac{3}{7}=\dfrac{13}{5}\div\dfrac{3}{7}=\dfrac{13}{5}\times\dfrac{7}{3}=\dfrac{91}{15}=6\dfrac{1}{15}$

11 $\dfrac{5}{8}\div\dfrac{1}{2}=\dfrac{5}{\overset{}{\underset{4}{8}}}\times\overset{1}{2}=\dfrac{5}{4}=1\dfrac{1}{4}$

12 $\dfrac{2}{9}\div\dfrac{5}{6}=\dfrac{2}{\overset{}{\underset{3}{9}}}\times\dfrac{\overset{2}{6}}{5}=\dfrac{4}{15}$

$1\dfrac{2}{3}\div\dfrac{3}{4}=\dfrac{5}{3}\div\dfrac{3}{4}=\dfrac{5}{3}\times\dfrac{4}{3}=\dfrac{20}{9}=2\dfrac{2}{9}$

$\Rightarrow \dfrac{4}{15}<2\dfrac{2}{9}$

13 $\dfrac{6}{7}\div\dfrac{2}{3}=\dfrac{\overset{3}{6}}{7}\times\dfrac{3}{\overset{}{\underset{1}{2}}}=\dfrac{9}{7}=1\dfrac{2}{7}$

$2\dfrac{2}{3}\div\dfrac{7}{9}=\dfrac{8}{3}\div\dfrac{7}{9}=\dfrac{8}{\overset{}{\underset{1}{3}}}\times\dfrac{\overset{3}{9}}{7}=\dfrac{24}{7}=3\dfrac{3}{7}$

$\Rightarrow 1\dfrac{2}{7}<3\dfrac{3}{7}$

14 $\bigcirc\ \dfrac{6}{7}\div\dfrac{2}{7}=6\div2=3$

$\bigcirc\ \dfrac{4}{5}\div\dfrac{2}{5}=4\div2=2$

$\bigcirc\ \dfrac{12}{13}\div\dfrac{3}{13}=12\div3=4$

15 $\bigcirc\ 14\div\dfrac{7}{9}=\overset{2}{14}\times\dfrac{9}{\overset{}{\underset{1}{7}}}=18$

$\bigcirc\ 9\div\dfrac{3}{4}=\overset{3}{9}\times\dfrac{4}{\overset{}{\underset{1}{3}}}=12$

$\bigcirc\ 6\div\dfrac{2}{7}=\overset{3}{6}\times\dfrac{7}{\overset{}{\underset{1}{2}}}=21$

16 $1\dfrac{3}{7}\div\dfrac{3}{4}=\dfrac{10}{7}\div\dfrac{3}{4}=\dfrac{10}{7}\times\dfrac{4}{3},$

$5\dfrac{1}{4}\div\dfrac{2}{3}=\dfrac{21}{4}\div\dfrac{2}{3}=\dfrac{21}{4}\times\dfrac{3}{2},$

$2\dfrac{1}{2}\div\dfrac{7}{12}=\dfrac{5}{2}\div\dfrac{7}{12}=\dfrac{5}{2}\times\dfrac{12}{7}$

17 $3\dfrac{1}{6}\div\dfrac{4}{5}=\dfrac{19}{6}\div\dfrac{4}{5}=\dfrac{19}{6}\times\dfrac{5}{4}=\dfrac{95}{24}=3\dfrac{23}{24}$ (kg)

19 $4\div\dfrac{2}{5}=\overset{2}{4}\times\dfrac{5}{\overset{}{\underset{1}{2}}}=10$(개)

20 (높이)=(삼각형의 넓이)×2÷(밑변의 길이)

$=\dfrac{29}{4}\times2\div\dfrac{5}{3}=\dfrac{87}{10}=8\dfrac{7}{10}$ (cm)

37쪽　스스로 학습장

1 예 $\dfrac{8}{9}\div\dfrac{2}{9}=8\div2=4$

2 예 $\dfrac{7}{9}\div\dfrac{4}{9}=7\div4=\dfrac{7}{4}=1\dfrac{3}{4}$

3 예 $\dfrac{9}{14}\div\dfrac{2}{3}=\dfrac{9}{14}\times\dfrac{3}{2}=\dfrac{27}{28}$

4 예 $5\dfrac{1}{4}\div\dfrac{2}{3}=\dfrac{21}{4}\div\dfrac{2}{3}=\dfrac{21}{4}\times\dfrac{3}{2}=\dfrac{63}{8}=7\dfrac{7}{8}$

5 예 $2\dfrac{3}{4}\div\dfrac{1}{5}=\dfrac{11}{4}\times5=\dfrac{55}{4}=13\dfrac{3}{4}$

6 예 $1\dfrac{3}{8}\div\dfrac{3}{4}=\dfrac{11}{8}\div\dfrac{3}{4}=\dfrac{11}{\overset{}{\underset{2}{8}}}\times\dfrac{\overset{1}{4}}{3}=\dfrac{11}{6}=1\dfrac{5}{6}$

7 예 $6\div\dfrac{3}{8}=\overset{2}{6}\times\dfrac{8}{\overset{}{\underset{1}{3}}}=16$

8 예 $4\div\dfrac{3}{5}=4\times\dfrac{5}{3}=\dfrac{20}{3}=6\dfrac{2}{3}$

2. 소수의 나눗셈

학부모 지도 가이드

일상생활에서 사용하는 길이, 무게, 부피의 양을 소수로 많이 표현하기 때문에 소수의 나눗셈을 사용하게 됩니다.
소수의 나눗셈은 자연수의 나눗셈을 이용하거나 분수의 나눗셈을 이용할 수도 있습니다.
계산의 원리를 이해하고, 결과를 어림하는 활동을 통해 이 단원을 확실히 알 수 있도록 지도해 주세요.

40~41쪽 · 준비 학습

1 (1) 6.8 (2) 101.5   **2** (1) 7.59 (2) 0.759

3 방법1 예 $\dfrac{6}{7} \div 3 = \dfrac{6 \div 3}{7} = \dfrac{2}{7}$

방법2 예 $\dfrac{6}{7} \div 3 = \dfrac{\overset{2}{\cancel{6}}}{7} \times \dfrac{1}{\underset{1}{\cancel{3}}} = \dfrac{2}{7}$

4 37, 3.7   **5** 10.4

6 (1) $\dfrac{3}{5}$ (2) $\dfrac{3}{8}$ **7** (1) 0.84 (2) 0.61

8 10.6

---

1 (1) $1.7 \times 4 = \dfrac{17}{10} \times 4 = \dfrac{68}{10} = 6.8$

(2) $50 \times 2.03 = 50 \times \dfrac{203}{100} = \dfrac{10150}{100} = 101.5$

2 (1) $23 \times 33 = 759$

$\qquad \downarrow \frac{1}{10}$ 배 $\quad \downarrow \frac{1}{10}$ 배 $\quad \downarrow \frac{1}{100}$ 배

$\quad 2.3 \times 3.3 = 7.59$

(2) $23 \times 33 = 759$

$\qquad \downarrow \frac{1}{100}$ 배 $\quad \downarrow \frac{1}{10}$ 배 $\quad \downarrow \frac{1}{1000}$ 배

$\quad 0.23 \times 3.3 = 0.759$

4 $22.2 = \dfrac{222}{10}$ 로 바꾸어 분수의 나눗셈으로 계산합니다.

5 72.8은 728의 $\dfrac{1}{10}$ 배이므로

$72.8 \div 7$의 몫은 104의 $\dfrac{1}{10}$ 배인 10.4가 됩니다.

---

7 (1)
```
      0.8 4
  9 ) 7.5 6
      7 2
      ───
        3 6
        3 6
        ───
          0
```
(2)
```
      0.6 1
  8 ) 4.8 8
      4 8
      ───
         8
         8
      ───
         0
```

8 (직사각형의 가로) $= 137.8 \div 13 = 10.6$ (cm)

43쪽 · 1단계 교과서 개념

1 144, 6, 144, 144, 24
2 612, 6, 612, 612, 102

45쪽 · 1단계 교과서 개념

1 318, 6, 53 ; 53   **2** 84, 12, 7 ; 7
3 484, 4, 121 ; 121   **4** 115, 5, 23 ; 23
5 399, 3, 133 ; 133   **6** 105, 15, 7 ; 7

---

1 나누어지는 수와 나누는 수에 똑같이 10배 합니다.

2 나누어지는 수와 나누는 수에 똑같이 100배 합니다.

47쪽 · 1단계 교과서 개념

1 (1) 5, 13 (2) 13, 13 (3) 1, 3, 15, 15
2 14   **3** 16   **4** 17
5 17   **6** 13   **7** 17

5
```
          1 7
  0.6 ) 1 0.2
          6
        ───
          4 2
          4 2
        ───
            0
```

6
```
          1 3
  1.5 ) 1 9.5
          1 5
        ───
          4 5
          4 5
        ───
            0
```

7
```
            1 7
  3.4 ) 5 7.8
          3 4
        ───
          2 3 8
          2 3 8
        ───
              0
```

01 168, 7, 168, 168, 24

02 824, 8, 824, 824, 103

03 7, 51 ; 51   **04** 441, 9, 49 ; 49

05 448, 32, 14 ; 14   **06** 756, 21, 36 ; 36

07 3, 24, 3, 8   **08** 7, 28, 7, 4

09 8, 56, 8, 7   **10** 7, 49, 7, 7

11 2, 14, 2, 7   **12** 12

13 4   **14** 36

15 5   **16** 11

---

03 35.7÷0.7을 자연수의 나눗셈으로 바꾸려면 나누는 수와 나누어지는 수에 똑같이 10배 합니다.
⇨ 357÷7=51 → 35.7÷0.7=51

05 4.48÷0.32를 자연수의 나눗셈으로 바꾸려면 나누는 수와 나누어지는 수에 똑같이 100배 합니다.
⇨ 448÷32=14 → 4.48÷0.32=14

07~11 소수 한 자리 수는 분모가 10인 분수로 바꾸어 계산할 수 있습니다.

12
```
        1 2
0.7 ) 8.4
        7
      1 4
      1 4
        0
```

13
```
        4
1.2 ) 4.8
      4 8
        0
```

14
```
        3 6
0.7 ) 2 5.2
      2 1
      4 2
      4 2
        0
```

15
```
          5
8.5 ) 4 2.5
      4 2 5
          0
```

16
```
        1 1
3.4 ) 3 7.4
      3 4
      3 4
      3 4
        0
```

1 (1) 12, 28   (2) 28, 28   (3) 2, 8, 24, 96, 96

2 27   **3** 6   **4** 7

5 8   **6** 5   **7** 12

2~4 나누어지는 수와 나누는 수에 똑같이 100배 합니다.

5
```
          8
0.24 ) 1.9 2
        1 9 2
            0
```

6
```
          5
0.43 ) 2.1 5
        2 1 5
            0
```

7
```
          1 2
0.46 ) 5.5 2
        4 6
          9 2
          9 2
            0
```

1 (1) 3.4, 3.4   (2) 3, 4, 69, 92, 92

2 (1) 7.2, 7.2   (2) 7, 2, 280, 0, 80

3 3.3   **4** 5.2   **5** 6.7

3
```
          3.3
1.5 ) 4.9 5
      4 5
      4 5
      4 5
        0
```

4
```
        5.2
0.7 ) 3.6 4
      3 5
      1 4
      1 4
        0
```

5
```
        6.7
0.4 ) 2.6 8
      2 4
      2 8
      2 8
        0
```

1 (1) 56, 840, 56, 15   (2) 15, 15   (3) 5, 56, 280

2 22   **3** 4   **4** 5

5 32   **6** 25

2
```
          2 2
1.5 ) 3 3.0
      3 0
        3 0
        3 0
          0
```

3
```
          4
9.5 ) 3 8.0
      3 8 0
          0
```

4
```
          5
8.4 ) 4 2.0
      4 2 0
          0
```

5
```
            3 2
1.75 ) 5 6.0 0
        5 2 5
          3 5 0
          3 5 0
              0
```

6
```
            2 5
2.16 ) 5 4.0 0
        4 3 2
        1 0 8 0
        1 0 8 0
              0
```

56~57쪽 2단계 개념 집중 연습

01 308, 14, 308, 14, 22
02 161, 23, 161, 23, 7
03 43
04 28
05 (위부터) 6.7, 6.7 ; 100
06 (위부터) 2.3, 2.3 ; 100
07 (위부터) 1.8, 1.8 ; 10
08 (위부터) 10 ; 3.4, 3.4 ; 10
09 6.5
10 3.4
11 3.6
12 1.7
13 360, 360, 45, 8
14 1000, 1000, 125, 8
15 5
16 50

---

01 소수 두 자리 수는 분모가 100인 분수로 바꾸어 계산할 수 있습니다.

05 4.02와 0.6을 각각 100배씩 해서 402÷60으로 계산합니다.

09 나누는 수와 나누어지는 수의 소수점을 각각 오른쪽으로 한 자리씩 옮겨서 계산합니다. 몫을 쓸 때 옮긴 소수점의 위치에서 소수점을 찍어야 합니다.

```
          6.5
3.7 )2 4.0 5
      2 2 2
      1 8 5
      1 8 5
            0
```

10
```
          3.4
4.2 )1 4.2 8
      1 2 6
      1 6 8
      1 6 8
            0
```

11
```
          3.6
2.8 )1 0.0 8
        8 4
      1 6 8
      1 6 8
            0
```

12
```
          1.7
5.6 )9.5 2
      5 6
      3 9 2
      3 9 2
          0
```

15
```
            5
3.4 )1 7.0
      1 7 0
            0
```

16
```
            5 0
0.72 )3 6.0 0
        3 6 0
              0
```

59쪽 1단계 교과서 개념

1 (1) 1.7 (2) 0.8
2 (1) 0.2 (2) 2.6 (3) 0.4
3 (1) 4.57 (2) 1.53 (3) 5.31
4 2.8, 2.83

---

1 (1) $12 \div 7 = 1.7\underline{1} \cdots \Rightarrow 1.7$
  (2) $7 \div 9 = 0.7\underline{7} \cdots \Rightarrow 0.8$

2 (1) $3 \div 14 = 0.2\underline{1} \cdots \Rightarrow 0.2$
  (2) $23 \div 9 = 2.5\underline{5} \cdots \Rightarrow 2.6$
  (3) $4 \div 11 = 0.3\underline{6} \cdots \Rightarrow 0.4$

3 (1) $32 \div 7 = 4.57\underline{1} \cdots \Rightarrow 4.57$
  (2) $26 \div 17 = 1.52\underline{9} \cdots \Rightarrow 1.53$
  (3) $69 \div 13 = 5.30\underline{7} \cdots \Rightarrow 5.31$

4 $17 \div 6 = 2.833 \cdots$ 이므로 몫을 반올림하여 소수 첫째 자리까지 나타내면 2.8이고 반올림하여 소수 둘째 자리까지 나타내면 2.83입니다.

61쪽 1단계 교과서 개념

1 0.3 ; 3, 6, 0.3 ; 3명, 0.3 L
2 0.5 ; 2, 8, 0.5 ; 2명, 0.5 L
3 5, 5, 0.3 ; 3, 15, 0.3 ; 3명, 0.3 L

62~63쪽 2단계 개념 집중 연습

01 4
02 2
03 2.8
04 0.8
05 3.57
06 9.33
07 4
08 7.6
09 0.96
10 6.67
11 4, 0.5
12 2, 1.4
13 3, 0.3
14 2, 1.7
15 5, 2.2
16 2, 0.4
17 14, 0.3

01 $47 \div 13 = 3.\underline{6}\cdots \Rightarrow 4$

02 $22 \div 12 = 1.\underline{8}\cdots \Rightarrow 2$

03 $25 \div 9 = 2.7\underline{7}\cdots \Rightarrow 2.8$

04 $9 \div 11 = 0.8\underline{1}\cdots \Rightarrow 0.8$

05 $25 \div 7 = 3.57\underline{1}\cdots \Rightarrow 3.57$

06 $28 \div 3 = 9.33\underline{3}\cdots \Rightarrow 9.33$

07
```
        4.4 ⇨ 4
0.8)3.5 7
    3 2
      3 7
      3 2
        5
```

08
```
        7.6 0 ⇨ 7.6
2.3)1 7.5 0 0
    1 6 1
      1 4 0
      1 3 8
          2 0
```

09
```
        0.9 5 5 ⇨ 0.96
6.1)5.8 3 0 0
    5 4 9
      3 4 0
      3 0 5
        3 5 0
        3 0 5
          4 5
```

10
```
        6.6 6 9 ⇨ 6.67
1.3)8.6 7 0 0
    7 8
      8 7
      7 8
        9 0
        7 8
        1 2 0
        1 1 7
            3
```

11
```
      4
2)8.5
  8
  0.5
```

12
```
      2
3)7.4
  6
  1.4
```

13
```
      3
3)9.3
  9
  0.3
```

14
```
      2
4)9.7
  8
  1.7
```

16
```
        2
8)1 6.4
  1 6
    0.4
```

17
```
        1 4
4)5 6.3
  4
  1 6
  1 6
    0.3
```

01 $7.2 \div 0.4 = \dfrac{72}{10} \div \dfrac{4}{10} = 72 \div 4 = 18$

02 528, 528 ; 528, 528, 176, 176

03 (1) 27, 14　(2) 525, 15

04 756, 210, 3.6　　　　**05** (1) 6　(2) 17

06 6.78, 11.3　　　　**07** >

08 (1) 6　(2) 50　　　　**09** (1) 2　(2) 1.6　(3) 1.56

10 <　　　**11** (1) 0.3　(2) 3, 0.3 ; 3, 0.3

12
```
        6.7
0.5)3.3 5
    3 0
      3 5
      3 5
        0
```

13 $10.4 \div 0.4 = 26$; 26개

---

03 (1) $3.78 \div 0.27$의 몫은 3.78과 0.27에 똑같이 100배 한 $378 \div 27$의 몫과 같습니다.

(2) $5.25 \div 0.35$의 몫은 5.25와 0.35에 똑같이 100배 한 $525 \div 35$의 몫과 같습니다.

> **참고**
> 나눗셈에서 나누는 수와 나누어지는 수에 같은 수를 곱하여도 몫은 변하지 않습니다.

05 (1)
```
        6
3.2)1 9.2
    1 9 2
        0
```
(2)
```
          1 7
0.11)1.8 7
     1 1
       7 7
       7 7
         0
```

07 $1.86 \div 0.6 = 3.1$, $2.72 \div 1.7 = 1.6$

　　⇨ $3.1 > 1.6$

08 (1)
```
        6
3.5)2 1.0
    2 1 0
        0
```
(2)
```
            5 0
2.14)1 0 7.0 0
     1 0 7 0
           0
```

09 (1) $14 \div 9 = 1.5\cdots \Rightarrow 2$

(2) $14 \div 9 = 1.5\underline{5}\cdots \Rightarrow 1.6$

(3) $14 \div 9 = 1.5\underline{5}5\cdots \Rightarrow 1.56$

10 $37 \div 11 = 3.\underline{3}\cdots \Rightarrow 3$이므로 $37 \div 11$의 몫이 $37 \div 11$의 몫을 반올림하여 자연수로 나타낸 수보다 큽니다.

68~70쪽 　4단계 단원 평가

01 3, 27, 3, 9　　02 84, 756, 84, 9
03 42, 420, 4200　　04 70, 700
05 432, 6, 72, 72　　06 100, 3.5, 3.5
07 2　　08 6　　09 6
10 14　　11 6.6　　12 8.1
13 <　　14 >　　15 1.85
16 $377 \div 0.29 = \dfrac{37700}{100} \div \dfrac{29}{100} = 37700 \div 29 = 1300$
17 (위부터) 90, 60, 30, 20　　18 1.33
19 8개　　20 4상자, 0.7 kg

---

01 나누는 수와 나누어지는 수가 소수 한 자리 수이므로 분모가 10인 분수의 나눗셈으로 바꾸어 계산합니다.

03 나누는 수는 같고 나누어지는 수가 10배, 100배가 되면 몫도 10배, 100배가 됩니다.

04 나누어지는 수는 같고 나누는 수가 $\dfrac{1}{10}$배, $\dfrac{1}{100}$배가 되면 몫은 10배, 100배가 됩니다.

05 나누어지는 수와 나누는 수에 똑같이 10배 합니다.
　⇨ $432 \div 6 = 72 \rightarrow 43.2 \div 0.6 = 72$

06 나누어지는 수와 나누는 수에 똑같이 100배 합니다.
　⇨ $595 \div 170 = 3.5 \rightarrow 5.95 \div 1.7 = 3.5$

07
```
        2
9.5) 1 9.0
     1 9 0
         0
```

08
```
        6
1.2) 7.2
     7 2
       0
```

09
```
        6
2.7) 1 6.2
     1 6 2
         0
```

10
```
       1 4
0.12) 1.6 8
      1 2
        4 8
        4 8
          0
```

11
```
        6.6
0.6) 3.9 6
     3 6
       3 6
       3 6
         0
```

12
```
        8.1
0.8) 6.4 8
     6 4
        8
        8
        0
```

13 $5.76 \div 4.8 = 1.2$, $5.18 \div 3.7 = 1.4$ ⇨ $1.2 < 1.4$
14 $7.68 \div 2.4 = 3.2$, $11.16 \div 3.6 = 3.1$ ⇨ $3.2 > 3.1$

15
```
        1.8 5
2.8) 5.1 8 0
     2 8
     2 3 8
     2 2 4
       1 4 0
       1 4 0
           0
```

16 377과 0.29를 분모가 100인 분수로 고쳐서 계산합니다.

17 $36 \div 0.4 = 90$, $1.2 \div 0.02 = 60$, $36 \div 1.2 = 30$
　$0.4 \div 0.02 = 20$

18 $8 \div 6 = 1.333\cdots \Rightarrow 1.33$

19
```
        8
3.5) 2 8.0
     2 8 0
         0
```

20
```
       4
2) 8.7
   8
   0.7
```

71쪽 　스스로 학습장

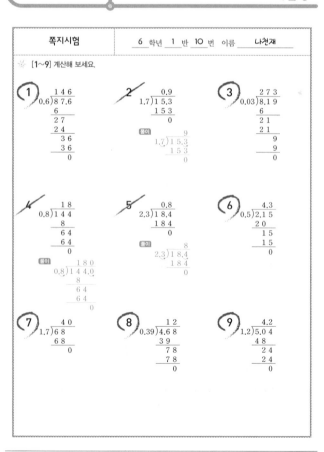

3. 공간과 입체

학부모 지도 가이드

공간 감각은 도형의 성질을 학습하는 것과 매우 밀접한 관련을 가집니다.

이 단원에서는 공간에 있는 대상을 여러 위치와 방향에서 본 모양을 알아봅니다. 또 쌓기나무로 쌓은 모양들을 평면에 나타내는 방법을 알아보고 쌓은 모양과 쌓기나무의 개수를 알아봅니다.

이 단원에서는 공간에서 입체를 탐색하는 것을 통해 공간 감각을 기를 수 있도록 지도해 주세요.

74~75쪽   준비 학습

1 ④   **2** 11개

3 면 ㉕   **4** 28.5 cm

5 512 cm³   **6** 142 cm²

7 15 m³

---

1 ④는 6개로 만들었습니다.

2 미현: 1층에 4개, 2층에 1개 ⇨ $4+1=5$(개)
　호진: 1층에 5개, 2층에 1개 ⇨ $5+1=6$(개)
　⇨ $5+6=11$(개)

3 면 ㉑와 면 ㉕는 서로 평행한 면이므로 만나지 않습니다.

4 보이지 않는 모서리는 각각 11 cm, 9.5 cm, 8 cm 입니다.
　따라서 보이지 않는 모서리의 길이의 합은
　$11+9.5+8=28.5$ (cm)입니다.

5 $8×8×8=512$ (cm³)

6 $(5×7+3×7+5×3)×2=71×2=142$ (cm²)

7 250 cm=2.5 m, 300 cm=3 m
　⇨ (부피)$=2×2.5×3=15$ (m³)

> **다른 풀이**
> 2 m=200 cm
> ⇨ (부피)$=200×250×300=15000000$ (cm³)
> 　15000000 cm³=15 m³

77쪽   1단계 교과서 개념

1 ㉕   **2** ㉑   **3** ㉮

79쪽   1단계 교과서 개념

1 6개   **2** 8개

3 8개   **4** 9개

---

1 위에서 본 모양을 보면 숨겨진 쌓기나무가 없으므로 필요한 쌓기나무는 6개입니다.

81쪽   1단계 교과서 개념

1 (1) 4 　(2) 3, 1 　(3) 3, 1

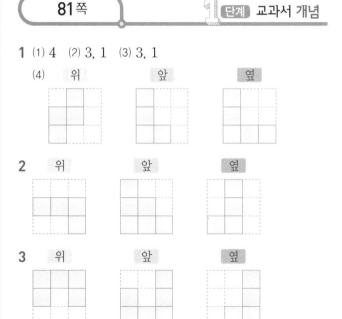

2 앞에서 보면 3층, 2층, 1층으로 보입니다.
　옆에서 보면 1층, 3층으로 보입니다.

3 앞에서 보면 2층, 1층, 3층으로 보입니다.
　옆에서 보면 1층, 3층으로 보입니다.

82~83쪽 · 2단계 개념 집중 연습

01 은주   02 하진   03 10개
04 11개   05 7개   06 8개
07 10개   08 8개

09 위   앞   옆

10 위   앞   옆

11 위   앞   옆

12 위   앞   옆

05 $1+2+3+1=7$(개)

06 $1+2+2+3=8$(개)

07 $1+3+3+1+2=10$(개)

08 $1+1+3+2+1=8$(개)

09 쌓기나무 9개로 쌓은 모양이므로 뒤에 숨겨진 쌓기
나무는 없습니다.
앞에서 보면 1층, 3층, 2층, 2층으로 보입니다.
옆에서 보면 1층, 3층으로 보입니다.

10 앞에서 보면 1층, 2층, 2층으로 보입니다.
옆에서 보면 1층, 1층, 2층으로 보입니다.

85쪽 · 1단계 교과서 개념

1 (○)( )   2 4개   3 (○)( )   4 6개

87쪽 · 1단계 교과서 개념

1 (1) 10개 (2) 앞   옆

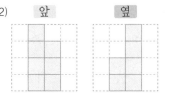

2 (1) 11개 (2) 앞   옆

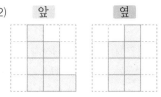

1 (2) 앞에서 보면 4층, 3층으로 보이고, 옆에서 보면 2층,
4층으로 보입니다.

2 (2) 앞에서 보면 4층, 3층, 1층으로 보이고, 옆에서
보면 3층, 4층으로 보입니다.

88~89쪽 · 2단계 개념 집중 연습

01 7개   02 6개   03 8개   04 8개
05 7개   06 9개   07 8개

08 (1) 12개 (2) 앞   옆

09 (1) 8개 (2) 앞   옆

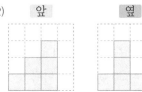

10 (1) 11개 (2) 앞   옆

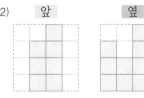

11 (1) 7개 (2) 앞   옆

01 (쌓기나무의 개수)=2+3+1+1=7(개)

02 (쌓기나무의 개수)=2+2+1+1=6(개)

03 (쌓기나무의 개수)=2+3+1+1+1=8(개)

08 ⑵ 앞에서 보면 1층, 3층, 4층으로 보이고, 옆에서 보면 2층, 3층, 4층으로 보입니다.

10 ⑵ 앞에서 보면 3층, 4층으로 보이고, 옆에서 보면 3층, 2층, 4층으로 보입니다.

11 ⑵ 앞에서 보면 2층, 3층으로 보이고, 옆에서 보면 1층, 3층, 1층으로 보입니다.

91쪽 **1단계 교과서 개념**

1 (○)( )   2 6개, 3개, 1개   3 10개

4 위   앞   옆

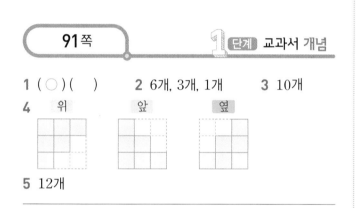

5 12개

05 (쌓기나무의 개수)=5+4+3=12(개)

93쪽 **1단계 교과서 개념**

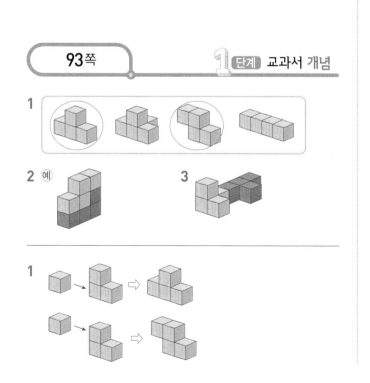

1

2 예   3

1

2 먼저 한 가지 모양을 찾아 색칠하고 남은 모양이 주어진 다른 모양과 같은지 확인합니다.

94~95쪽 **2단계 개념 집중 연습**

01 4개, 2개, 1개   02 7개

03 (○)( )

04 위   앞   옆

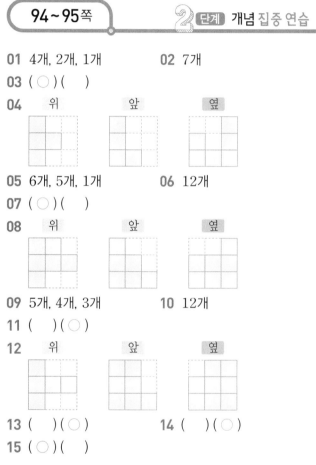

05 6개, 5개, 1개   06 12개

07 (○)( )

08 위   앞   옆

09 5개, 4개, 3개   10 12개

11 ( )(○)

12 위   앞   옆

13 ( )(○)   14 ( )(○)

15 (○)( )

02 4+2+1=7(개)

06 6+5+1=12(개)

10 5+4+3=12(개)

13 쌓기나무 5개로 만든 모양은 오른쪽입니다.

14

15

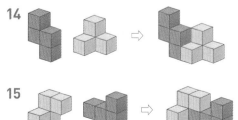

96~99쪽 **3단계 익힘책 익히기**

01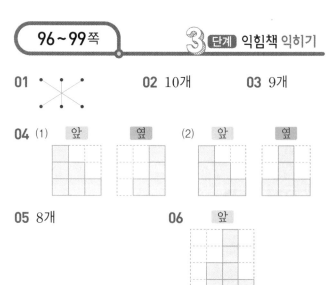

02 10개 03 9개

04 (1) 앞 옆 (2) 앞 옆

05 8개

06 앞

07 (1) 1개 (2) 1개, 1개 (3) 3개 (4) 3개 (5) 9개

08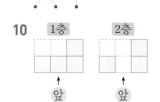

09 라

10 1층 2층
앞 앞

11 다

12 위 , 9개

```
3
2
1 3
```
앞

---

01 왼쪽 모양: 1층이 2개, 3개, 1개가 연결되어 있는 모양.
가운데 모양: 1층이 2개, 2개, 1개가 연결되어 있는 모양.
오른쪽 모양: 1층이 3개, 2개, 1개가 연결되어 있는 모양.

04 (1)은 숨겨진 쌓기나무가 없지만 (2)는 숨겨진 쌓기나무가 있습니다.

05 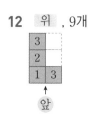 위에서 본 모양을 보면 1층의 쌓기나무는 6개입니다. 앞에서 본 모양을 보면 ◎ 부분은 쌓기나무가 각각 1개이고, 옆에서 본 모양을 보면 ○ 부분은 쌓기나무가 1개씩, △ 부분은 쌓기나무가 3개입니다. 따라서 1층 6개, 2층 1개, 3층 1개로 똑같은 모양으로 쌓는 데 필요한 쌓기나무는 8개입니다.

06 앞에서 보면 2층, 4층, 1층으로 보입니다.

07 (5) 1+3+3+1+1=9(개)

08 위에서 본 모양에 쌓인 쌓기나무의 개수를 세어서 비교해 봅니다.

10 1층 모양을 먼저 그린 후 쌓은 모양을 보고 2층에 쌓기나무 3개를 위치에 맞게 그립니다.

11 1층 모양으로 가능한 모양을 찾으면 가, 다인데 가는 2층 모양이 다르므로 쌓은 모양은 다입니다.

12 쌓기나무를 층별로 나타낸 모양에서 1층 모양의 ○ 부분은 3층까지 있고 □ 부분은 2층까지 있습니다.

나머지는 1층까지 있으므로 똑같은 모양을 쌓는 데 필요한 쌓기나무는 9개입니다.

100~102쪽 **4단계 단원 평가**

01 8개 02 8개

03 앞 옆

04 위
```
1 1 1
2 1
3 1
```
앞

05 위
```
3 3
2
2 1
```
앞

06 1층 2층
앞 앞

07 2층 3층
앞 앞

08 3개   **09** 1개, 1개

10 2개, 1개   **11** 8개

12
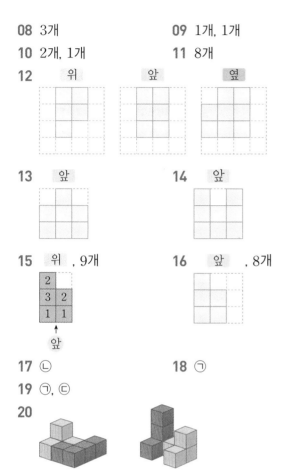
위   앞   옆

13 앞

14 앞

15 위 , 9개

2	
3	2
1	1

↑
앞

16 앞 , 8개

17 ㉡   **18** ㉠

19 ㉠, ㉢

20

---

01 (쌓기나무의 개수)=3+1+2+1+1=8(개)

> **다른 풀이**
> 1층: 5개, 2층: 2개, 3층: 1개 ⇨ 5+2+1=8(개)

02 (쌓기나무의 개수)=3+2+2+1=8(개)

> **다른 풀이**
> 1층: 4개, 2층: 3개, 3층: 1개 ⇨ 4+3+1=8(개)

08 앞에서 보면 3층으로 보이므로 ㉠에 쌓인 쌓기나무는 3개입니다.

11 3+1+2+1+1=8(개)

12 12개로 쌓은 모양이므로 숨겨진 쌓기나무는 없습니다. 앞에서 보면 3층, 3층으로 보이고, 옆에서 보면 2층, 3층, 3층으로 보입니다.

13 앞에서 보면 2층, 3층, 2층으로 보입니다.

14 앞에서 보면 3층, 2층, 3층으로 보입니다.

15 쌓은 모양은 오른쪽과 같습니다.
    ⇨ 2+3+2+1+1=9(개)

16 (쌓기나무의 개수)=3+2+3=8(개)

17 1층의 쌓기나무가 4개이고, 앞, 옆에서 보았을 때 각각 2층, 3층으로 보이는 것을 찾습니다.

18 위에서 본 모양의 각 자리에 쌓은 쌓기나무의 수를 보고 쌓기나무로 쌓은 모양을 예측해 봅니다.

19 ㉠
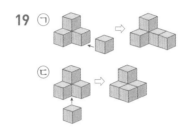
㉢

20 먼저 한 가지 모양을 찾아 색칠하고 남은 모양이 주어진 다른 모양과 같은지 확인합니다.

103쪽   스스로 학습장

1 8개   **2** 8개

3 앞   옆

4 위

1	
4	1
2	

↑
앞

5 위

	3	1
1	2	
	1	

↑
앞

6 2층   3층

↑   ↑
앞   앞

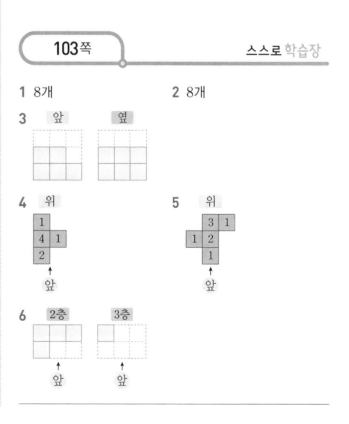

4. 비례식과 비례배분

106~107쪽   준비 학습

1 4, 6, 8   **2** 2

3 (1) 3, 5   (2) 3, 5

4 8, 11 ; 8, 11 ; 8, 11 ; 11, 8

5 10, 6   **6** $\frac{4}{5}$, 0.8

7 50 %

---

1 (여학생 수)−(남학생 수)를 구합니다.

2 (여학생 수)÷(남학생 수)를 구합니다.

3 기준이 되는 수는 당근 수인 5입니다.

5   6 : 10
비교하는 양 ← ┘   └→ 기준량

6 감 수에 대한 사과 수의 비 ⇨ 4 : 5

(감 수에 대한 사과 수의 비율)$=4 \div 5=\frac{4}{5}(=0.8)$

7 전체 10칸 중에서 색칠한 칸은 5칸입니다.

⇨ $\frac{5}{10} \times 100 = 50\,(\%)$

109쪽   1단계 교과서 개념

1 $\frac{2}{3}, \frac{2}{3}$ **2** (위부터) 3 ; 9 ; 3

3 $\frac{5}{8}, \frac{5}{8}$ **4** (위부터) 7 ; 8 ; 7

---

2 수직선은 비 2 : 3의 전항과 후항에 각각 3을 곱한 것입니다. 3×3=9이므로 2 : 3은 전항과 후항에 3을 곱한 6 : 9와 비율이 같습니다.

4 수직선은 비 35 : 56의 전항과 후항을 각각 7로 나눈 것입니다. 56÷7=8이므로 35 : 56은 전항과 후항을 7로 나눈 5 : 8과 비율이 같습니다.

111쪽   1단계 교과서 개념

1 (위부터) 23 ; 10   **2** (위부터) 100 ; 11

3 (위부터) 35 ; 5 ; 35   **4** (위부터) 8 ; 6 ; 8

5 (위부터) 6 ; 4 ; 6   **6** (위부터) 10 ; 8 ; 10

---

1 0.7 : 2.3을 간단한 자연수의 비로 나타내기 위하여 전항과 후항에 각각 10을 곱합니다.

⇨ 7 : 23

4 전항과 후항에 각각 8과 4의 최소공배수 8을 곱합니다.

5 전항과 후항을 각각 6과 24의 최대공약수 6으로 나눕니다.

112~113쪽   2단계 개념 집중 연습

01 (위부터) 81 ; 9   **02** (위부터) 3 ; 6

03 (위부터) 16, 32 ; 4   **04** (위부터) 20 ; 260, 420

05 (위부터) 1 ; 9   **06** (위부터) 3 ; 1

07 (위부터) 5 ; 8, 5   **08** (위부터) 9, 7 ; 40

09 (위부터) 44 ; 11   **10** (위부터) 35 ; 10

11 (위부터) 14 ; 100   **12** (위부터) 15 ; 2

13 방법 1 0.2 ; 7, 2   방법 2 $\frac{7}{10}$; 7, 2

14 8 : 5   **15** 4 : 7

16 5 : 6

01 7 : 9의 전항과 후항에 각각 9를 곱하면 63 : 81이 됩니다.

02 2 : 5의 전항과 후항에 각각 3을 곱하면 6 : 15가 됩니다.

03 4 : 8의 전항과 후항에 각각 4를 곱하면 16 : 32가 됩니다.

04 13 : 21의 전항과 후항에 각각 20을 곱하면 260 : 420이 됩니다.

05 18 : 9의 전항과 후항을 각각 9로 나누면 2 : 1이 됩니다.

06 3 : 15의 전항과 후항을 각각 3으로 나누면 1 : 5가 됩니다.

07 40 : 25의 전항과 후항을 각각 5로 나누면 8 : 5가 됩니다.

08 360 : 280의 전항과 후항을 각각 40으로 나누면 9 : 7이 됩니다.

09 전항과 후항에 두 분모의 최소공배수 44를 곱하면 11 : 4가 됩니다.

10 전항과 후항에 각각 10을 곱하면 19 : 35가 됩니다.

11 전항과 후항을 각각 100으로 나누면 3 : 14가 됩니다.

12 전항과 후항을 각각 30과 45의 최대공약수 15로 나누면 2 : 3이 됩니다.

13 **방법 1** 후항 $\frac{1}{5}$을 소수 0.2로 바꾸면 0.7 : 0.2이므로 전항과 후항에 각각 10을 곱합니다.

$$0.7 : \frac{1}{5} \Rightarrow 0.7 : 0.2 \Rightarrow 7 : 2$$

방법 2 전항 0.7을 분수 $\frac{7}{10}$로 바꾸면 $\frac{7}{10} : \frac{1}{5}$이므로 전항과 후항에 각각 10과 5의 최소공배수 10을 곱합니다.

$$0.7 : \frac{1}{5} \Rightarrow \frac{7}{10} : \frac{1}{5} \Rightarrow 7 : 2$$

14 전항과 후항을 각각 64와 40의 최대공약수 8로 나눕니다.

15 전항과 후항에 각각 두 분모의 최소공배수 12를 곱합니다.

16 후항 0.9를 분수 $\frac{9}{10}$로 바꾸어 가장 간단한 자연수의 비로 나타냅니다.

$$\Rightarrow \frac{3}{4} : 0.9 \Rightarrow \frac{3}{4} : \frac{9}{10} \Rightarrow 15 : 18 \Rightarrow 5 : 6$$

다른 풀이

전항 $\frac{3}{4}$을 소수 0.75로 바꾸어 가장 간단한 자연수의 비로 나타냅니다.

$$\frac{3}{4} : 0.9 \Rightarrow 0.75 : 0.9 \Rightarrow 75 : 90 \Rightarrow 5 : 6$$

115쪽 **1단계 교과서 개념**

1 $\frac{5}{4}$, $\frac{4}{5}$, $\frac{4}{5}$
2 4, 5
3 (위부터) 외항, 내항
4 (위부터) 내항, 외항
5 (위부터) 내항, 외항
6 0.5 : 0.2 = 5 : 2 (또는 5 : 2 = 0.5 : 0.2)

---

2 두 비 8 : 10과 4 : 5는 비율이 같으므로 비례식 8 : 10 = 4 : 5로 나타낼 수 있습니다.

6 비의 성질을 이용하면 0.5 : 0.2는 전항과 후항에 10을 곱한 5 : 2와 비율이 같습니다.

$$0.5 : 0.2 = 5 : 2$$
(×10)

117쪽 **1단계 교과서 개념**

1 (위부터) 60 ; 60
2 (위부터) 120 ; 120
3 (위부터) 2, 66 ; 66
4 (위부터) 2 ; 14, 2
5 (위부터) 15, 4.5 ; 9, 4.5
6 12, 84, 6
7 27, 216, 24

01 10, 30 ; 15, 20　　**02** 6, 110 ; 11, 60

03 7, 25 ; 5, 35　　**04** 12, 1 ; 3, 4

05 1, 16 ; 2, 8

06 2, 9, 14, 63 (또는 14, 63, 2, 9)

07 12, 15, 4, 5 (또는 4, 5, 12, 15)

08 3, 11, 9, 33 (또는 9, 33, 3, 11)

09 4, 7, 12, 21 (또는 12, 21, 4, 7)

10 252, 252

11 $4 \times 2 = 8$; $8 \times 1 = 8$

12 $0.3 \times 7 = 2.1$; $0.7 \times 3 = 2.1$

13 $100 \times \dfrac{1}{10} = 10$; $1 \times 10 = 10$

14 $\dfrac{1}{9} \times 9 = 1$; $\dfrac{1}{11} \times 11 = 1$

15 25　　**16** 28

17 6　　**18** 5

19 4

---

06 각 비의 비율을 기약분수로 나타내면

$7 : 9 \rightarrow \dfrac{7}{9}$, $2 : 9 \rightarrow \dfrac{2}{9}$, $14 : 63 \rightarrow \dfrac{2}{9}$

➡ 비율이 같은 두 비 $2 : 9$와 $14 : 63$을 비례식으로 나타내면 $2 : 9 = 14 : 63$입니다.

07 각 비의 비율을 기약분수로 나타내면

$16 : 10 \rightarrow \dfrac{8}{5}$, $12 : 15 \rightarrow \dfrac{4}{5}$, $4 : 5 \rightarrow \dfrac{4}{5}$

➡ 비율이 같은 두 비 $12 : 15$와 $4 : 5$를 비례식으로 나타내면 $12 : 15 = 4 : 5$입니다.

08 각 비의 비율을 기약분수로 나타내면

$5 : 6 \rightarrow \dfrac{5}{6}$, $3 : 11 \rightarrow \dfrac{3}{11}$, $9 : 33 \rightarrow \dfrac{3}{11}$

➡ 비율이 같은 두 비 $3 : 11$과 $9 : 33$을 비례식으로 나타내면 $3 : 11 = 9 : 33$입니다.

09 각 비의 비율을 기약분수로 나타내면

$4 : 7 \rightarrow \dfrac{4}{7}$, $12 : 21 \rightarrow \dfrac{4}{7}$, $6 : 14 \rightarrow \dfrac{3}{7}$

➡ 비율이 같은 두 비 $4 : 7$과 $12 : 21$을 비례식으로 나타내면 $4 : 7 = 12 : 21$입니다.

15 $3 : 5 = 15 : \square$

➡ $3 \times \square = 5 \times 15$, $3 \times \square = 75$, $\square = 25$

16 $7 : 8 = \square : 32$

➡ $8 \times \square = 7 \times 32$, $8 \times \square = 224$, $\square = 28$

17 $\square : 10 = 30 : 50$

➡ $\square \times 50 = 10 \times 30$, $\square \times 50 = 300$, $\square = 6$

18 $2 : \square = 8 : 20$

➡ $\square \times 8 = 2 \times 20$, $\square \times 8 = 40$, $\square = 5$

19 $44 : 16 = 11 : \square$

➡ $44 \times \square = 16 \times 11$, $44 \times \square = 176$, $\square = 4$

1 $2 : 30$　　**2** $2 : 30 = \bullet : 150$

3 10 L　　**4** $3 : 8 = \blacktriangle : 72$

5 27 mL

---

1 비교하는 양은 휘발유의 양이고 기준량은 달릴 수 있는 거리입니다. ➡ $2 : 30$

3 $2 : 30 = \bullet : 150$

➡ $30 \times \bullet = 2 \times 150$, $30 \times \bullet = 300$, $\bullet = 10$

4 비교하는 양은 물의 양이고 기준량은 폐식용유의 양입니다. ➡ $3 : 8 = \blacktriangle : 72$

5 $3 : 8 = \blacktriangle : 72$

➡ $8 \times \blacktriangle = 3 \times 72$, $8 \times \blacktriangle = 216$, $\blacktriangle = 27$

1 $\dfrac{3}{8}$, 6 ; 3, $\dfrac{5}{8}$, 10　　**2** $\dfrac{1}{4}$, 6 ; 1, $\dfrac{3}{4}$, 18

3 $\dfrac{2}{3}$, 16 ; 1, $\dfrac{1}{3}$, 8　　**4** 5, $\dfrac{7}{12}$, 14 ; 5, $\dfrac{5}{12}$, 10

01 $2:3=8:\square$, 12컵   **02** $2:3=12:\square$, 18컵

03 $2:3=\square:9$, 6컵   **04** $2:3=\square:27$, 18컵

05 $7:9=21:\square$, 27장   **06** $7:9=56:\square$, 72장

07 $7:9=\square:18$, 14초   **08** $7:9=\square:36$, 28초

09 $1, \dfrac{1}{3}, 60 ; 1, \dfrac{2}{3}, 120$

10 $5, \dfrac{3}{8}, 18 ; 5, 5, \dfrac{5}{8}, 30$

11 $9, \dfrac{9}{11}, 45 ; 2, \dfrac{2}{11}, 10$

12 $\dfrac{5}{9}, 200 ; 4, \dfrac{4}{9}, 160$

13 $4, \dfrac{4}{7}, 800 ; \dfrac{3}{7}, 600$

14 $8, 7, \dfrac{8}{15}, 3200 ; 8, 7, \dfrac{7}{15}, 2800$

---

01 $2:3=8:\square$
$\Rightarrow 2\times\square=3\times8$, $2\times\square=24$, $\square=12$

02 $2:3=12:\square$
$\Rightarrow 2\times\square=3\times12$, $2\times\square=36$, $\square=18$

03 $2:3=\square:9$
$\Rightarrow 3\times\square=2\times9$, $3\times\square=18$, $\square=6$

04 $2:3=\square:27$
$\Rightarrow 3\times\square=2\times27$, $3\times\square=54$, $\square=18$

05 21초 동안 복사할 수 있는 장 수를 $\square$장이라 하고 비례식을 세우면 $7:9=21:\square$입니다.
$\Rightarrow 7\times\square=9\times21$, $7\times\square=189$, $\square=27$

06 56초 동안 복사할 수 있는 장 수를 $\square$장이라 하고 비례식을 세우면 $7:9=56:\square$입니다.
$\Rightarrow 7\times\square=9\times56$, $7\times\square=504$, $\square=72$

07 18장을 복사하는 시간을 $\square$초라 하고 비례식을 세우면 $7:9=\square:18$입니다.
$\Rightarrow 9\times\square=7\times18$, $9\times\square=126$, $\square=14$

08 36장을 복사하는 시간을 $\square$초라 하고 비례식을 세우면 $7:9=\square:36$입니다.
$\Rightarrow 9\times\square=7\times36$, $9\times\square=252$, $\square=28$

09~11 전체를 ● : ◆로 나눌 때 전항과 후항의 합 ●＋◆를 분모로 하는 분수의 비로 나타내면

 입니다.

12 리본 360 cm를 $5:4$로 나누면 360을 $9(=5+4)$로 나눈 것 중에 각각 5와 4만큼의 양과 같습니다.

13 1400원을 $4:3$으로 나누면 1400을 $7(=4+3)$로 나눈 것 중에 각각 4와 3만큼의 양과 같습니다.

14 6000원을 $8:7$로 나누면 6000을 $15(=8+7)$로 나눈 것 중에 각각 8과 7만큼의 양과 같습니다.

01 (1)    (2)

02

03 (1) (위부터) 36 ; 4   (2) (위부터) 2 ; 10

04 7, 9, 14, 18 (또는 14, 18, 7, 9)

05 24, 12 ; 0.4, 12 ; 같습니다에 ○표

06 (○) ( )
(○)

07 ☆☆☆☆☆☆☆☆ ⟶ ☆☆   ☆☆☆☆☆☆ ; 2, 6

08 $4, 3, \dfrac{4}{7}, 16 ; 3, 4, 3, \dfrac{3}{7}, 12$

09 (1) $12:7$ (2) $50:27$

10 (1) 15   (2) 8   (3) 13

11 $5:3$

12 $2:3000=6:\square$, 9000원

13 $10, 1500 ; \dfrac{7}{10}, 3500$

02 • 48 : 30은 전항과 후항을 각각 6으로 나눈 8 : 5와 비율이 같습니다.

• 3 : 7은 전항과 후항에 각각 20을 곱한 60 : 140과 비율이 같습니다.

• 11 : 4는 전항과 후항에 각각 9를 곱한 99 : 36과 비율이 같습니다.

03 (1) $\dfrac{1}{9} : \dfrac{1}{4}$의 전항과 후항에 각각 두 분모의 최소공배수인 36을 곱하면 4 : 9가 됩니다.

(2) 0.5 : 0.2의 전항과 후항에 각각 10을 곱하면 5 : 2가 됩니다.

04 각 비의 비율을 기약분수로 나타내면

$11 : 17 → \dfrac{11}{17}$, $7 : 9 → \dfrac{7}{9}$, $3 : 6 → \dfrac{1}{2}$,

$14 : 18 → \dfrac{7}{9}$

⇨ 비율이 같은 두 비는 7 : 9와 14 : 18이므로 비례식으로 나타내면 7 : 9＝14 : 18입니다.

06
$$0.7 × 5 = 3.5$$
$$0.7 : 0.2 = 2 : 5$$
$$0.2 × 2 = 0.4$$

⇨ 0.7 : 0.2＝2 : 5는 외항의 곱과 내항의 곱이 다르기 때문에 비례식이 아닙니다.

07 붙임딱지 8개를 1 : 3으로 나누면 전체를 1＋3＝4로 나눈 것 중에 진영이에게는 1만큼을, 완준이에게는 3만큼을 나누어 주어야 하므로 각각

$\dfrac{1}{1+3} = \dfrac{1}{4}$, $\dfrac{3}{1+3} = \dfrac{3}{4}$입니다.

⇨ 진영: $8 × \dfrac{1}{4} = 2$(개), 완준: $8 × \dfrac{3}{4} = 6$(개)

09 (1) 72 : 42의 전항과 후항을 각각 72와 42의 최대공약수 6으로 나누면 12 : 7이 됩니다.

(2) $\dfrac{5}{9} : 0.3$의 후항인 0.3을 $\dfrac{3}{10}$으로 바꾸고 전항과 후항에 각각 90을 곱합니다.

$\dfrac{5}{9} : 0.3 ⇨ \dfrac{5}{9} : \dfrac{3}{10} ⇨ 50 : 27$

10 (1) 9 : 5＝27 : □

⇨ 9×□＝5×27, 9×□＝135, □＝15

(2) 20 : □＝5 : 2

⇨ □×5＝20×2, □×5＝40, □＝8

(3) □ : 52＝1 : 4

⇨ □×4＝52×1, □×4＝52, □＝13

11 $\dfrac{1}{3} : \dfrac{1}{5}$의 전항과 후항에 각각 두 분모의 최소공배수 15를 곱하면 5 : 3이 됩니다.

12 우유 6통의 값을 □원이라 하고 비례식을 세우면

2 : 3000＝6 : □

⇨ 2×□＝3000×6, 2×□＝18000, □＝9000

13 5000원을 두 사람이 3 : 7로 나누면 전체를 3＋7＝10으로 나눈 것 중에 연수는 3만큼을 가지므로

$\dfrac{3}{3+7} = \dfrac{3}{10}$, 경민이는 7만큼을 가지므로 $\dfrac{7}{3+7} = \dfrac{7}{10}$입니다.

⇨ 연수: $5000 × \dfrac{3}{3+7} = 5000 × \dfrac{3}{10} = 1500$(원)

경민: $5000 × \dfrac{7}{3+7} = 5000 × \dfrac{7}{10} = 3500$(원)

130~132쪽 4단계 단원 평가

01 전항, 후항
02 (위부터) 9 ; 4
03 (위부터) 88 ; 11
04 (위부터) 100 ; 41
05 ③
06 $15 : 6 = 30 : 12$ (삼각형 15, 원 30, 삼각형 12)
07 9 : 18＝1 : 2 (또는 1 : 2＝9 : 18)
08 같습니다에 ○표
09 40 : 19
10 1 : 9
11 9, 32 ; $\dfrac{5}{9}$, 40
12 (위부터) 140, 20 ; 140 cm
13 16, 80, 10
14 88, 33
15 2
16 16
17 ⓒ
18 6 : 43
19 예 1 : 3, 예 20 : 60
20 35개, 49개

02 비의 후항을 9로 나누었으므로 전항도 9로 나누어야 합니다. 36을 9로 나누면 4입니다.

03 비의 전항에 11을 곱했으므로 후항에도 11을 곱해야 합니다. 8에 11을 곱하면 88입니다.

04 4100 : 1900의 전항과 후항을 각각 100으로 나누면 41 : 19입니다.

05 비율이 같은 두 비를 기호 '='를 사용하여 나타낸 식을 찾으면 ③입니다.

06 15 : 6 = 30 : 12에서 바깥쪽에 있는 15와 12를 외항, 안쪽에 있는 6과 30을 내항이라고 합니다.

07 각 비의 비율을 기약분수로 나타내면
$2 : 3 \rightarrow \dfrac{2}{3}$, $9 : 18 \rightarrow \dfrac{1}{2}$, $1 : 2 \rightarrow \dfrac{1}{2}$
⇨ 비율이 같은 두 비는 9 : 18과 1 : 2이므로 비례식으로 나타내면 9 : 18 = 1 : 2입니다.

09 $2\dfrac{3}{8}$을 가분수로 고치고 전항과 후항에 각각 8을 곱합니다.
$5 : 2\dfrac{3}{8} \Rightarrow 5 : \dfrac{19}{8} \Rightarrow 40 : 19$

10 전항과 후항에 각각 100을 곱한 다음 다시 전항과 후항을 각각 7과 63의 최대공약수 7로 나눕니다.
$0.07 : 0.63 \Rightarrow 7 : 63 \Rightarrow 1 : 9$

13 외항의 곱 16×5와 내항의 곱 ★$\times 8$이 같다는 것을 이용합니다.

14 $121 \times \dfrac{8}{8+3} = 121 \times \dfrac{8}{11} = 88$
$121 \times \dfrac{3}{8+3} = 121 \times \dfrac{3}{11} = 33$

15 9 : 6 = 3 : ●
⇨ $9 \times ● = 6 \times 3$, $9 \times ● = 18$, ● = 2

16 4 : 7 = ● : 28
⇨ $7 \times ● = 4 \times 28$, $7 \times ● = 112$, ● = 16

17
$26 \times 4 = 104$
26 : 8 = 12 : 4
$8 \times 12 = 96$

외항의 곱과 내항의 곱이 다르므로 비례식이 아닌 것은 ㉢입니다.

18 꿀의 양과 물의 양의 비는 0.06 : 0.43입니다.
⇨ 0.06 : 0.43 = 6 : 43 (×100, ×100)

19 10 : 30의 전항과 후항에 0이 아닌 같은 수를 곱하거나 전항과 후항을 0이 아닌 같은 수로 나누어도 비율이 같다는 비의 성질을 이용하여 비율이 같은 비를 찾습니다.
⇨ 예 10 : 30 = 1 : 3 (÷10, ÷10)   10 : 30 = 20 : 60 (×2, ×2)

20 오이 84개를 두 가족 수의 비 5 : 7로 나눕니다.
⇨ 준기네 가족: $84 \times \dfrac{5}{5+7} = 84 \times \dfrac{5}{12} = 35$(개)
영주네 가족: $84 \times \dfrac{7}{5+7} = 84 \times \dfrac{7}{12} = 49$(개)

133쪽   스스로 학습장

1 ○	2 ○	3 ○
4 ×	5 ○	6 ×
7 ×	8 ○	9 ×

---

4 비의 전항과 후항에 0이 아닌 같은 수를 더하면 비율이 달라집니다.

6 비례식에서 외항의 곱과 내항의 곱은 같습니다.

7 $\dfrac{1}{5} : \dfrac{1}{6}$을 가장 간단한 자연수의 비로 나타내면 6 : 5입니다.

9 사탕 27개를 민정이와 세나가 4 : 5로 나누면 민정이는 $27 \times \dfrac{4}{4+5} = 12$(개)를 갖게 됩니다.

5. 원의 넓이

136~137쪽 　　　　준비 학습

1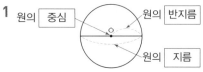

원의 [중심]　원의 [반지름]　원의 [지름]

2 8 cm, 4 cm 　　　 **3** 35 cm

4 16 cm 　　　　　 **5** 25 cm²

6 100 cm² 　　　　 **7** (1) 0.048　(2) 9.36

8 (1) 6　(2) 14.125

---

3 (정오각형의 둘레)＝7×5＝35 (cm)

4 (평행사변형의 둘레)＝(3＋5)×2＝16 (cm)

5 (삼각형의 넓이)＝10×5÷2＝25 (cm²)

6 (정사각형의 넓이)＝10×10＝100 (cm²)

8 (1)
```
           6
    4.2)2 5.2
        2 5 2
            0
```
(2)
```
       1 4.1 2 5
   0.4)5.6 5 0 0
       4
       1 6
       1 6
         5
         4
         1 0
           8
           2 0
           2 0
            0
```

139쪽 　　　　1단계 교과서 개념

1 정육각형의 둘레:

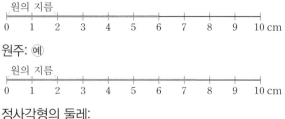

원주: 예

정사각형의 둘레:

2 3, 4

---

1 • 정육각형의 한 변의 길이가 1 cm이므로 정육각형의 둘레는 1×6＝6 (cm)입니다.

　• 원주는 한 변의 길이가 1 cm인 정육각형의 둘레보다 길고, 한 변의 길이가 2 cm인 정사각형의 둘레보다 짧으므로 6 cm보다 길고, 8 cm보다 짧게 그립니다.

　• 정사각형의 한 변의 길이가 2 cm이므로 정사각형의 둘레는 2×4＝8 (cm)입니다.

2 원주는 원의 지름의 3배보다 길고, 원의 지름의 4배보다 짧습니다.

　⇨ (원의 지름)×3＜(원주), (원주)＜(원의 지름)×4

141쪽 　　　　1단계 교과서 개념

1 원주율 　　 **2** 3.1, 3.14 　　 **3** 3.14

4 3.14 　　 **5** 3.14

---

2 (원주율)＝(원주)÷(지름)＝28.27÷9
　　　　＝3.141111⋯⋯

　⇨ 3.141111⋯⋯을 반올림하여 소수 첫째 자리까지 나타내면 3.1, 반올림하여 소수 둘째 자리까지 나타내면 3.14입니다.

3 (원주율)＝31.4÷10＝3.14

4 (원주율)＝47.1÷15＝3.14

5 (원주율)＝62.8÷20＝3.14

142~143쪽　　2단계 개념 집중 연습

01 (예)

02 (예)

03 ○

04 ○

05 ×

06 3.1, 3.14

07 3, 3.1

08 3.1, 3.14

09 3.14

10 3.14

11 3.14

12 3.14

13 8 cm, 3.14

14 15 cm, 3.14

15 12 cm, 3.14

16 10 cm, 3.14

01~02 지름은 원 위의 두 점을 지나면서 원의 중심을 지나는 선분을 그립니다. 원주는 원의 둘레이므로 원의 둘레를 따라 그립니다.

05 원주는 지름의 길이의 3배보다 길고 지름의 길이의 4배보다 짧습니다.

06 (원주)÷(지름)=18.85÷6=3.1416……

07 (원주)÷(지름)=34.6÷11=3.145454……

08 (원주)÷(지름)=21.99÷7=3.141428……

09 (원주율)=78.5÷25=3.14

10 (원주율)=34.54÷11=3.14

11 (원주율)=43.96÷14=3.14

12 (원주율)=69.08÷22=3.14

13 (지름)=4×2=8 (cm)
　　(원주율)=25.12÷8=3.14

14 (지름)=7.5×2=15 (cm)
　　(원주율)=47.1÷15=3.14

15 (지름)=6×2=12 (cm)
　　(원주율)=37.68÷12=3.14

16 (지름)=5×2=10 (cm)
　　(원주율)=31.4÷10=3.14

145쪽　　1단계 교과서 개념

1 지름　　**2** 원주　　**3** 24.8 cm

4 34.1 cm　　**5** 6 cm　　**6** 12 cm

---

1 (원주율)=(원주)÷(지름)
　⇨ (원주)=(지름)×(원주율)

2 (원주율)=(원주)÷(지름)
　⇨ (지름)=(원주)÷(원주율)

3 (원주)=8×3.1=24.8 (cm)

4 (원주)=11×3.1=34.1 (cm)

5 (지름)=18÷3=6 (cm)

6 (지름)=36÷3=12 (cm)

147쪽　　1단계 교과서 개념

1 50 cm²　　　　**2** 100 cm²

3 50, 100　　　　**4** 32, 64

---

1 원 안에 있는 정사각형은 두 대각선의 길이가 각각 10 cm인 마름모입니다.
　⇨ (원 안의 정사각형의 넓이)=10×10÷2
　　　　　　　　　　　　　　　=50 (cm²)

2 원 밖에 있는 정사각형의 한 변의 길이는 10 cm입니다.
　⇨ (원 밖의 정사각형의 넓이)=10×10=100 (cm²)

3 원의 넓이는 원 안에 있는 정사각형의 넓이보다 크고 원 밖에 있는 정사각형의 넓이보다 작습니다.

4 (원 안의 정사각형의 넓이)=8×8÷2=32 (cm²)
　　(원 밖의 정사각형의 넓이)=8×8=64 (cm²)
　⇨ 원의 넓이는 원 안에 있는 정사각형의 넓이보다 크므로 32 cm²<(원의 넓이), 원 밖에 있는 정사각형의 넓이보다 작으므로 (원의 넓이)<64 cm²입니다.

148~149쪽   **2단계 개념 집중 연습**

01 18.84 cm
02 31.4 cm
03 12.56 cm
04 15.7 cm
05 10 cm
06 7 cm
07 4.5 cm
08 3 cm
09 800, 1600
10 72, 144
11 200, 400
12 32개
13 60개
14 32, 60
15 60개
16 88개
17 60, 88

---

01 (원주)$=6 \times 3.14 = 18.84$ (cm)

02 (원주)$=10 \times 3.14 = 31.4$ (cm)

03 (원주)$=4 \times 3.14 = 12.56$ (cm)

04 (원주)$=5 \times 3.14 = 15.7$ (cm)

05 (지름)$=31 \div 3.1 = 10$ (cm)

06 (지름)$=21.7 \div 3.1 = 7$ (cm)

07 (지름)$=27 \div 3 = 9$ (cm)
   ⇨ (반지름)$=9 \div 2 = 4.5$ (cm)

08 (지름)$=18 \div 3 = 6$ (cm)
   ⇨ (반지름)$=6 \div 2 = 3$ (cm)

09 (원 안의 정사각형의 넓이)$=40 \times 40 \div 2$
                          $=800$ (cm^2)
   (원 밖의 정사각형의 넓이)$=40 \times 40 = 1600$ (cm^2)

10 (원 안의 정사각형의 넓이)$=12 \times 12 \div 2 = 72$ (cm^2)
   (원 밖의 정사각형의 넓이)$=12 \times 12 = 144$ (cm^2)

11 (원 안의 정사각형의 넓이)$=20 \times 20 \div 2$
                          $=200$ (cm^2)
   (원 밖의 정사각형의 넓이)$=20 \times 20 = 400$ (cm^2)

12

   원을 4등분 하여 노란색 모눈의 수를 세면 8개이므
   로 노란색 모눈의 수는 모두 $8 \times 4 = 32$(개)입니다.

13 원을 4등분하여 원 밖에 있는 초록색 선 안쪽의 모눈
   의 수를 세면 15개이므로 초록색 선 안쪽의 모눈의
   수는 모두 $15 \times 4 = 60$(개)입니다.

14 원의 넓이는 노란색 모눈의 넓이인 32 cm^{2}보다 크
   고, 초록색 선 안쪽의 모눈의 넓이인 60 cm^{2}보다 작
   습니다.

15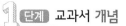

   원을 4등분 하여 노란색 모눈의 수를 세면 15개이므
   로 노란색 모눈의 수는 모두 $15 \times 4 = 60$(개)입니다.

16 원을 4등분하여 원 밖에 있는 초록색 선 안쪽의 모눈
   의 수를 세면 22개이므로 초록색 선 안쪽의 모눈의
   수는 모두 $22 \times 4 = 88$(개)입니다.

17 원의 넓이는 노란색 모눈의 넓이인 60 cm^{2}보다 크
   고, 초록색 선 안쪽의 모눈의 넓이인 88 cm^{2}보다 작
   습니다.

151쪽   **1단계 교과서 개념**

1 (위부터) 원주, 반지름 ; 원주율
2 254.34 cm^2
3 314 cm^2
4 78.5 cm^2

---

2 (원의 넓이)$=9 \times 9 \times 3.14 = 254.34$ (cm^2)

3 (원의 넓이)$=10 \times 10 \times 3.14 = 314$ (cm^2)

4 (원의 넓이)$=5 \times 5 \times 3.14 = 78.5$ (cm^2)

153쪽   **1단계 교과서 개념**

1 432 cm^2
2 75 cm^2
3 357 cm^2
4 99.2 cm^2
5 24.8 cm^2
6 124 cm^2

1 (원의 넓이)$=12 \times 12 \times 3=432$ (cm^2)

2 (원의 넓이)$=5 \times 5 \times 3=75$ (cm^2)

3 (색칠한 부분의 넓이)
= (반지름이 12 cm인 원의 넓이)
  − (반지름이 5 cm인 원의 넓이)
$= 432-75=357$ (cm^2)

4 지름이 16 cm인 반원의 넓이는 지름이 16 cm인 원의 넓이의 반입니다.
⇨ (반원의 넓이)$=8 \times 8 \times 3.1 \div 2=99.2$ (cm^2)

5 지름이 8 cm인 반원의 넓이는 지름이 8 cm인 원의 넓이의 반입니다.
⇨ (반원의 넓이)$=4 \times 4 \times 3.1 \div 2=24.8$ (cm^2)

6 (도형의 넓이)
= (지름이 16 cm인 반원의 넓이)
  + (지름이 8 cm인 반원의 넓이)
$=99.2+24.8=124$ (cm^2)

154~155쪽 **2단계 개념 집중 연습**

01 27 cm^2 **02** 363 cm^2 **03** 75 cm^2
04 147 cm^2 **05** 254.34 cm^2 **06** 50.24 cm^2
07 314 cm^2 **08** 113.04 cm^2 **09** 223.2 cm^2
10 49.6 cm^2 **11** 83.7 cm^2 **12** 147.5 cm^2
13 153 cm^2 **14** 64 cm^2 **15** 363 cm^2
16 150 cm^2

---

01 (원의 넓이)$=3 \times 3 \times 3=27$ (cm^2)

02 (원의 넓이)$=11 \times 11 \times 3=363$ (cm^2)

03 (원의 넓이)$=5 \times 5 \times 3=75$ (cm^2)

04 (원의 넓이)$=7 \times 7 \times 3=147$ (cm^2)

05 (반지름)$=18 \div 2=9$ (cm)
(원의 넓이)$=9 \times 9 \times 3.14=254.34$ (cm^2)

06 (반지름)$=8 \div 2=4$ (cm)
(원의 넓이)$=4 \times 4 \times 3.14=50.24$ (cm^2)

07 (반지름)$=20 \div 2=10$ (cm)
(원의 넓이)$=10 \times 10 \times 3.14=314$ (cm^2)

08 (반지름)$=12 \div 2=6$ (cm)
(원의 넓이)$=6 \times 6 \times 3.14=113.04$ (cm^2)

09 (지름이 24 cm인 반원의 넓이)
$=12 \times 12 \times 3.1 \div 2=223.2$ (cm^2)

10 반지름이 8 cm인 원의 넓이의 $\frac{1}{4}$입니다.
⇨ (도형의 넓이)$=8 \times 8 \times 3.1 \div 4=49.6$ (cm^2)

11 (도형의 넓이)
= (반지름이 6 cm인 반원의 넓이)
  + (지름이 6 cm인 원의 넓이)
$=6 \times 6 \times 3.1 \div 2+3 \times 3 \times 3.1$
$=55.8+27.9=83.7$ (cm^2)

12 (도형의 넓이)
= (지름이 10 cm인 원의 넓이)
  + (가로가 7 cm, 세로가 10 cm인 직사각형의 넓이)
$=5 \times 5 \times 3.1+7 \times 10$
$=77.5+70=147.5$ (cm^2)

13 (색칠한 부분의 넓이)
= (지름이 20 cm인 원의 넓이)
  − (지름이 14 cm인 원의 넓이)
$=10 \times 10 \times 3-7 \times 7 \times 3$
$=300-147=153$ (cm^2)

14 (색칠한 부분의 넓이)
= (한 변의 길이가 16 cm인 정사각형의 넓이)
  − (지름이 16 cm인 원의 넓이)
$=16 \times 16-8 \times 8 \times 3$
$=256-192=64$ (cm^2)

15 (색칠한 부분의 넓이)
= (반지름이 11 cm인 원의 넓이)
$=11 \times 11 \times 3=363$ (cm^2)

16 (색칠한 부분의 넓이)
= (반지름이 10 cm인 원의 넓이)
  − {(지름이 10 cm인 원의 넓이)$\times 2$}
$=10 \times 10 \times 3-5 \times 5 \times 3 \times 2$
$=300-150=150$ (cm^2)

156~159쪽　3 단계 익힘책 익히기

01 원주

02 (1) × (2) ○ (3) ×

03 3.1, 3.14

04 25.12 cm

05 20 cm

06 88, 132

07 <, >

08 24, 24, 288 ; 24, 24, 576

09 288, 576

10

지름 (cm)	반지름 (cm)	원의 넓이 구하는 식	원의 넓이 (cm²)
8	4	4×4×3.1	49.6
26	13	13×13×3.1	523.9

11 251.1 cm²

12 ㉤, ㉢, ㉠, ㉣

13 153.86 cm²

---

02 (1) 원의 중심을 지나는 선분 ㄱㄴ은 원의 지름입니다.
(3) 지름이 작아지면 원주도 작아집니다.

03 94.25÷30=3.1416……
⇨ 3.1416……을 반올림하여 소수 첫째 자리까지
나타내면 3.1, 반올림하여 소수 둘째 자리까지 나
타내면 3.14입니다.

04 길이가 8 cm인 프로펠러가 돌면 지름이 8 cm인 원
이 생기므로 지름이 8 cm인 원의 원주를 구합니다.
⇨ (프로펠러가 돌 때 생기는 원의 원주)
=8×3.14=25.12 (cm)

05 종이띠로 만든 원의 원주는 종이띠의 길이와 같으므
로 60 cm입니다.
⇨ (종이띠로 만들어진 원의 지름)
=60÷3=20 (cm)

06 (노란색 모눈의 수)=88개
→ (노란색 모눈의 넓이)=88 cm²
(초록색 선 안쪽의 모눈의 수)=132개
→ (초록색 선 안쪽의 모눈의 넓이)=132 cm²
⇨ 88 cm²<(원의 넓이), (원의 넓이)<132 cm²

09 원의 넓이는 원 안의 정사각형의 넓이 288 cm²보다
큽니다. ⇨ 288 cm²<(원의 넓이)
원의 넓이는 원 밖의 정사각형의 넓이 576 cm²보다
작습니다. ⇨ (원의 넓이)<576 cm²

10 • 지름이 8 cm인 원의 반지름은 8÷2=4 (cm)이
고 넓이는 4×4×3.1=49.6 (cm²)입니다.
• 지름이 26 cm인 원의 반지름은 26÷2=13 (cm)
이고, 넓이는 13×13×3.1=523.9 (cm²)입니다.

11 거울의 넓이는 반지름이 9 cm인 원의 넓이와 같습
니다. ⇨ (거울의 넓이)=9×9×3.1=251.1 (cm²)

12 • (㉠의 넓이)=13×13×3=507 (cm²)
• (㉤의 반지름)=30÷2=15 (cm)
→ (㉤의 넓이)=15×15×3=675 (cm²)
• (㉣의 지름)=72÷3=24 (cm)
→ (㉣의 반지름)=24÷2=12 (cm)
→ (㉣의 넓이)=12×12×3=432 (cm²)
⇨ 원의 넓이가 큰 프라이팬부터 차례로 쓰면
㉤>㉢>㉠>㉣입니다.

13 (색칠한 부분의 넓이)
=(지름이 14 cm인 원의 넓이)
=7×7×3.14=153.86 (cm²)

160~162쪽　4 단계 단원 평가

01 (왼쪽부터) 원주, 지름

02 원주율

03 3

04 3.14

05 3.14

06 25.12 cm

07 18.84 cm

08 9

09 2 cm

10 18, 36

11 45, 77

12 (위부터) 6.28, 2

13 48 cm²

14 243 cm²

15 27.9 cm²

16 20 cm, 125.6 cm, 1256 cm²

17 지민

18 144 cm²

19 20, 10

20 86 cm²

01 원의 둘레를 원주, 원 위의 두 점을 지나면서 원의 중심을 지나는 선분을 지름이라고 합니다.

03 (원주)÷(지름)=40.84÷13=3.141…… ⇨ 3

04 (원주)÷(지름)=3.14153…… ⇨ 3.14

05 (원주율)=(원주)÷(지름)
     $=21.98÷7=3.14$

06 (원주)=(지름)×(원주율)
     $=8×3.14=25.12$ (cm)

07 (지름)=(반지름)×2
     $=3×2=6$ (cm)
   (원주)=(지름)×(원주율)
     $=6×3.14=18.84$ (cm)

08 (지름)=(원주)÷(원주율)
     $=27÷3=9$ (cm)

09 (지름)=12.4÷3.1=4 (cm)
   (반지름)=4÷2=2 (cm)

10 (원 안의 정사각형의 넓이)
     $=6×6÷2=18$ (cm²)
   (원 밖의 정사각형의 넓이)
     $=6×6=36$ (cm²)
   원의 넓이는 원 안에 있는 정사각형의 넓이보다 크고 원 밖에 있는 정사각형의 넓이보다 작습니다.

11 노란색 모눈은 45개, 초록색 선 안쪽의 모눈은 77개입니다. 원의 넓이는 노란색 모눈의 넓이인 45 cm² 보다 크고, 초록색 선 안쪽의 모눈의 넓이인 77 cm² 보다 작습니다.

12 직사각형에 가까워지는 도형의 가로는 원주의 $\frac{1}{2}$ 과 같고 세로는 원의 반지름과 같습니다.
     ⇨ (가로)=2×2×3.14÷2=6.28 (cm)

13 (원의 넓이)=4×4×3=48 (cm²)

14 (원의 넓이)=9×9×3=243 (cm²)

15 (반지름)=6÷2=3 (cm)
   (원의 넓이)=3×3×3.1=27.9 (cm²)

16 (반지름)=40÷2=20 (cm)
   (원주)=40×3.14=125.6 (cm)
   (원의 넓이)=20×20×3.14=1256 (cm²)

17 원이 커져도 원주율은 일정합니다.
   따라서 잘못 말한 친구는 지민입니다.

18 반지름이 8 cm인 원의 $\frac{3}{4}$ 입니다.
     ⇨ (도형의 넓이)=8×8×3×$\frac{3}{4}$=144 (cm²)

20 (색칠한 부분의 넓이)
     =(한 변의 길이가 20 cm인 정사각형의 넓이)
       -(반지름이 10 cm인 원의 넓이)
     =20×20-10×10×3.14
     =400-314=86 (cm²)

163쪽   스스로 학습장

1 74.4, 446.4   **2** 55.8, 251.1
3 16, 2 ; 195.3   **4** 26 ; 523.9

---

1 (원주)=24×3.1=74.4 (cm)
   (넓이)=12×12×3.1=446.4 (cm²)

2 (원주)=9×2×3.1=55.8 (cm)
   (넓이)=9×9×3.1=251.1 (cm²)

3 (부채의 넓이)
   =(지름이 16 cm인 원의 넓이)
     -(지름이 2 cm인 원의 넓이)
   =8×8×3.1-1×1×3.1
   =198.4-3.1=195.3 (cm²)

4 보라색 부분의 넓이는 지름이 26 cm인 원의 넓이와 같습니다.
     ⇨ (보라색 부분의 넓이)=13×13×3.1
                  $=523.9$ (cm²)

6. 원기둥, 원뿔, 구

학부모 지도 가이드

이 단원에서는 원기둥, 원뿔, 구의 구성 요소와 성질에 대해 배우게 됩니다. 주변에서 찾을 수 있는 원기둥, 원뿔, 구의 모양의 물건을 이용하여 세 입체도형의 같은 점과 다른 점을 파악하는 활동이나 각기둥과 원기둥 또는 각뿔과 원뿔을 비교하는 활동을 통해 학생 스스로 입체도형의 특징을 표현할 수 있도록 지도해 주세요.

또 원기둥의 전개도를 이해하고 그려 보게 되는데 이때 5단원에서 배운 원주와 원의 넓이가 이용되므로 5단원에서 부족한 부분은 없었는지 확인해 주세요.

166~167쪽 · 준비 학습

1 (1) 오각기둥 (2) 육각뿔

2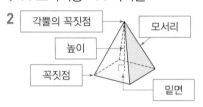

3 예)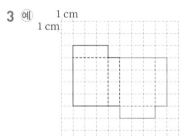

4

도형	꼭짓점의 수 (개)	면의 수 (개)	모서리의 수 (개)
가	6	6	10
나	12	8	18

5 62.8 cm

6 192 cm²

---

1 (1) 밑면의 모양이 오각형인 각기둥이므로 오각기둥입니다.
　(2) 밑면의 모양이 육각형인 뿔이므로 육각뿔입니다.

4 가는 오각뿔이고 나는 육각기둥입니다.

5 (원주)=20×3.14=62.8 (cm)

6 (원의 넓이)=8×8×3=192 (cm²)

169쪽 · 1단계 교과서 개념

1

기준	각기둥 모양인 것	각기둥 모양이 아닌 것
기호	가, 나, 라	다, 마

2 원기둥

3 　　**4**

---

1 가는 삼각기둥, 나는 사각기둥, 라는 오각기둥입니다.

2 다와 마 같이 옆을 둘러싼 면이 굽은 면이고 위와 아래에 있는 평평한 면이 서로 평행하고 합동인 원인 입체도형을 원기둥이라고 합니다.

171쪽 · 1단계 교과서 개념

1 ×　　**2** ×　　**3** ○

4 5 cm　　**5** 12.56 cm

---

1 옆면이 직사각형이 아니므로 원기둥의 전개도가 아닙니다.

2 두 원이 합동이 아니므로 원기둥의 전개도가 아닙니다.

4 (옆면의 세로의 길이)
　=(원기둥의 높이)=5 cm

5 (옆면의 가로의 길이)
　=(밑면의 둘레)
　=(밑면의 지름)×(원주율)
　=2×2×3.14=12.56 (cm)

172~173쪽 **2단계 개념 집중 연습**

01 (○)(   )(   ) **02** (   )(   )(○)

03 (   )(   )(○) **04** (○)(   )(   )

05

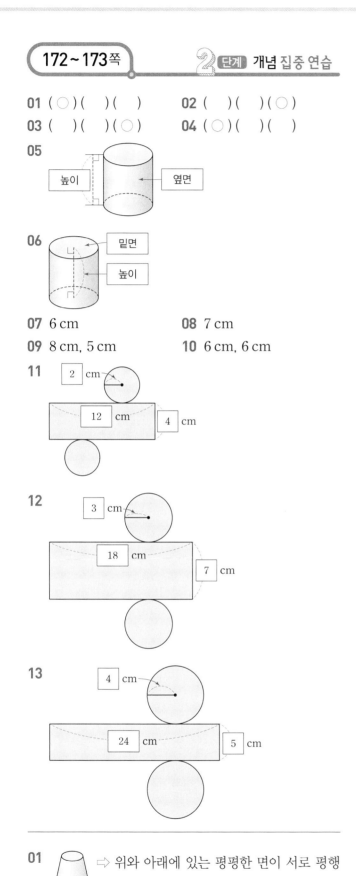

높이 옆면

06

밑면

높이

07 6 cm **08** 7 cm

09 8 cm, 5 cm **10** 6 cm, 6 cm

11 2 cm 12 cm 4 cm

12 3 cm 18 cm 7 cm

13 4 cm 24 cm 5 cm

---

01 ⇨ 위와 아래에 있는 평평한 면이 서로 평행하지만 합동이 아니므로 원기둥이 아닙니다.

⇨ 사각기둥입니다.

02 ⇨ 위와 아래에 있는 평평한 면이 서로 평행하지 않으므로 원기둥이 아닙니다.

⇨ 사각뿔입니다.

03 ⇨ 뿔 모양입니다.

⇨ 오각기둥입니다.

04 ⇨ 육각뿔입니다.

⇨ 위와 아래에 있는 평평한 면이 서로 평행하지만 합동이 아니므로 원기둥이 아닙니다.

05~06 밑면: 원기둥에서 서로 평행하고 합동인 두 면
옆면: 두 밑면과 만나는 면
높이: 두 밑면에 수직인 선분의 길이

07 높이는 두 밑면에 수직인 선분의 길이입니다.
⇨ 6 cm

08 높이는 두 밑면에 수직인 선분의 길이입니다.
⇨ 7 cm

09 원기둥의 밑면의 반지름은 돌리기 전의 직사각형의 가로와 같습니다.
(밑면의 지름)=(돌리기 전의 직사각형 가로)×2
=4×2=8 (cm)
(높이)=(돌리기 전의 직사각형의 세로)
=5 cm

10 (밑면의 지름)=(돌리기 전의 직사각형 가로)×2
=3×2=6 (cm)
(높이)=(돌리기 전의 직사각형의 세로)
=6 cm

11 (옆면의 가로)=(밑면의 지름)×(원주율)
=2×2×3=12 (cm)

12 (옆면의 가로)=(밑면의 지름)×(원주율)
=3×2×3=18 (cm)

13 (옆면의 가로)=(밑면의 지름)×(원주율)
=4×2×3=24 (cm)

175쪽 · 1단계 교과서 개념

1 ○   **2** ×   **3** ○
4 4   **5** 5   **6** 6

4 삼각자와 자가 직각으로 만나는 눈금을 읽으면 높이는 4 cm입니다.

5 자와 원뿔의 꼭짓점이 만나는 눈금을 읽으면 모선의 길이는 5 cm입니다.

6 삼각자와 자가 직각으로 만나는 눈금을 읽으면 밑면의 지름은 6 cm입니다.

177쪽 · 1단계 교과서 개념

1 나, 마

2
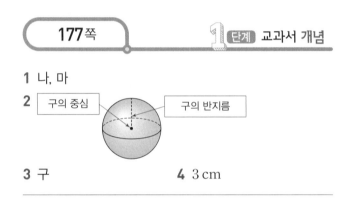
구의 중심 / 구의 반지름

3 구   **4** 3 cm

2 구의 중심: 구에서 가장 안쪽에 있는 점
구의 반지름: 구의 중심에서 구의 겉면의 한 점을 이은 선분

3 반원 모양의 종이를 지름을 기준으로 돌리면 구가 됩니다.

4 (구의 반지름)=(반원의 반지름)=6÷2=3 (cm)

179쪽 · 1단계 교과서 개념

1 원뿔에 ○표   **2** 구에 ○표
3 원기둥에 ○표   **4**
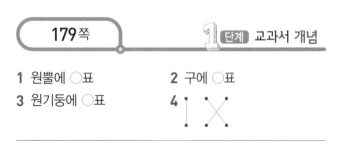

4 • 첫 번째는 원기둥 2개로 만들어진 건축물입니다.
• 두 번째는 원뿔 2개와 원기둥으로 만들어진 건축물입니다.
• 세 번째는 구와 원기둥 2개로 만들어진 건축물입니다.

180~181쪽 · 2단계 개념 집중 연습

01 가, 마

02
모선 / 높이 / 밑면

03
원뿔의 꼭짓점 / 모선 / 밑면

04
원뿔의 꼭짓점 / 높이 / 옆면

05 8 cm, 10 cm, 12 cm   **06** 15 cm, 17 cm, 16 cm
07 4 cm, 5 cm, 6 cm   **08** 5 cm, 6 cm
09 7 cm, 10 cm   **10** 6 cm, 12 cm
11 (○) (×)   **12** 6 cm
13 4 cm   **14** 5 cm

01 나, 라: 원기둥, 다: 삼각뿔, 바: 사각기둥

05 (밑면의 지름)=6×2=12 (cm)

06 (밑면의 지름)=8×2=16 (cm)

07 (밑면의 지름)=3×2=6 (cm)

08 (높이)=(돌리기 전의 직각삼각형의 높이)=5 cm
(밑면의 지름)
=(돌리기 전의 직각삼각형의 밑변의 길이)×2
=3×2=6 (cm)

09 (높이)=(돌리기 전의 직각삼각형의 높이)=7 cm
(밑면의 지름)
=(돌리기 전의 직각삼각형의 밑변의 길이)×2
=5×2=10 (cm)

10 (높이)=(돌리기 전의 직각삼각형의 높이)=6 cm
(밑면의 지름)
=(돌리기 전의 직각삼각형의 밑변의 길이)×2
=6×2=12 (cm)

12 구의 반지름은 반원의 반지름과 같습니다.

(구의 반지름)＝12÷2＝6 (cm)

13 (구의 반지름)＝8÷2＝4 (cm)

14 (구의 반지름)＝10÷2＝5 (cm)

01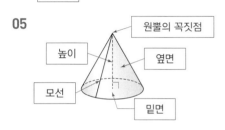

02 가, 라

03 나

04 다, 마

05

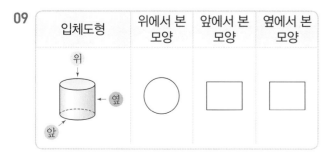

06

도형	밑면의 모양	밑면의 수(개)	위에서 본 모양	앞에서 본 모양
	육각형	1	육각형	삼각형
	원	1	원	삼각형

07 다

08

입체도형	위에서 본 모양	앞에서 본 모양	옆에서 본 모양
	○	○	○

09

입체도형	위에서 본 모양	앞에서 본 모양	옆에서 본 모양
	○	▭	▭

10

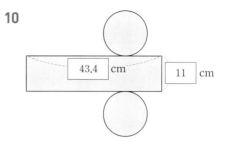

11 22 cm, 15 cm **12** 14 cm, 14 cm

02 나는 삼각기둥입니다. 다는 위와 아래에 있는 면이 평행하지 않고, 마는 위와 아래에 있는 면이 합동인 원이 아니므로 원기둥이 아닙니다.

03 가는 두 원이 합동이 아니고 다는 한 원이 옆면과 겹쳐지므로 원기둥을 만들 수 없습니다.

04 가는 원기둥이고 나는 뿔 모양이 아닙니다. 라는 사각뿔입니다.

06 ⇨ 육각뿔입니다. 육각뿔을 위에서 본 모양은 육각뿔의 밑면의 모양과 같은 육각형입니다.

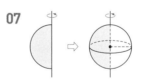 ⇨ 원뿔입니다. 원뿔을 위에서 본 모양은 원뿔의 밑면의 모양과 같은 원입니다.

07

반원 모양의 종이를 지름을 기준으로 돌리면 구가 만들어집니다.

10 (옆면의 가로)＝(밑면의 지름)×(원주율)

＝7×2×3.1＝43.4 (cm)

11 (밑면의 지름)

＝(돌리기 전의 직각삼각형의 밑변의 길이)×2

＝11×2＝22 (cm)

(높이)＝(돌리기 전의 직각삼각형의 높이)＝15 cm

12 밑면의 지름은 반지름의 2배이므로 7×2＝14 (cm)이고 앞에서 본 모양이 정사각형이므로 원기둥의 높이와 밑면의 지름은 같습니다. 따라서 높이는 14 cm입니다.

01 가

02 마

03 나, 바

04 전개도

05

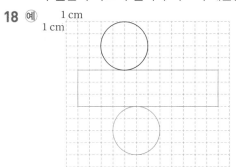
밑면, 높이, 옆면

06 ⑤

07 구의 중심

08 구의 반지름

09 ③, ⑤

10 (선 잇기)

11 20 cm

12 원기둥

13 원뿔

14 31.4 cm

15 12 cm

16 2 cm

17 ⑩ 옆면이 직사각형이 아니기 때문입니다. 밑면의 둘레 와 옆면의 가로의 길이가 다르기 때문입니다.

18 ⑩
1 cm
1 cm
(전개도 그림)

19

위에서 본 모양	앞에서 본 모양	옆에서 본 모양
원	삼각형	삼각형

20 (○)
(×)
(○)

01 옆을 둘러싼 면이 굽은 면이고 위와 아래에 있는 평 평한 면이 서로 평행하고 합동인 원으로 이루어진 입 체도형을 찾으면 가입니다.

02 평평한 면이 원이고 옆을 둘러싼 면이 굽은 면인 뿔 모양의 입체도형을 찾으면 마입니다.

03 공 모양의 입체도형을 모두 찾으면 나, 바입니다.

06 원뿔에서 꼭짓점과 밑면인 원의 둘레의 한 점을 이은 선분을 찾습니다.

09 ③은 두 밑면이 서로 겹쳐지는 위치에 있습니다.
⑤는 옆면이 직사각형이 아니므로 원기둥을 만들 수 없습니다.

11 원기둥의 높이는 두 밑면에 수직인 선분의 길이이므로 20 cm입니다.

12
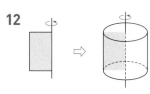
직사각형을 한 변을 기준으 로 돌리면 원기둥이 만들어 집니다.

13
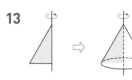
직각삼각형을 한 변을 기준 으로 돌리면 원뿔이 만들어 집니다.

14 (옆면의 가로의 길이)＝(밑면의 지름)×(원주율)
＝5×2×3.14＝31.4 (cm)

15 (옆면의 세로의 길이)＝(원기둥의 높이)＝12 cm

16 (구의 반지름)＝(반원의 반지름)＝4÷2＝2 (cm)

18 전개도의 밑면은 반지름이 2 cm인 원으로 그립니다. 전개도의 옆면은 가로가 2×2×3＝12 (cm), 세로 가 3 cm인 직사각형으로 그립니다.

19 원뿔을 위에서 본 모양은 원이고 앞과 옆에서 본 모 양은 삼각형입니다.

20 • 원뿔만 꼭짓점이 있습니다.
• 구는 밑면이 없습니다.
• 구는 공 모양으로 전체가 굽은 면으로 둘러싸여 있 으므로 원기둥, 원뿔보다 더 잘 굴러 갑니다.

1 (왼쪽부터) 원기둥, 직사각형 ; 원, 2, 6

2 (왼쪽부터) 원뿔, 직각삼각형 ; 원, 1, 6, 5

3 (왼쪽부터) 구, 반원 ; 구의 중심, 3

이쯤에서 실력체크

수학 단원평가

각종 학교 시험, 한 권으로 끝내자!

수학 단원평가

초등 1~6학년(학기별)

쪽지시험, 단원평가, 서술형 평가 등 다양한 수행평가에 맞는 최신 경향의 문제 수록
A, B, C 세 단계 난이도의 단원평가로 실력을 점검하고 부족한 부분을 빠르게 보충 가능
기본 개념 문제로 구성된 쪽지시험과 단원평가 5회분으로 확실한 단원 마무리

정답은
이안에
있어!